Mi hijo
tiene celos

Juan Manuel Ortigosa Quiles

Mi hijo
tiene celos

EDICIONES PIRÁMIDE

COLECCIÓN «GUÍAS PARA PADRES»

Director:
Francisco Xavier Méndez
Catedrático de Tratamiento Psicológico Infantil
de la Universidad de Murcia

Diseño de cubierta: Gerardo Domínguez

© Juan Manuel Ortigosa Quiles
© Ediciones Pirámide (Grupo Anaya, S. A.), 2002
Juan Ignacio Luca de Tena, 15. 28027 Madrid
Teléfono: 91 393 89 89
www.edicionespiramide.es
Depósito legal: M. 44.911-2002
ISBN: 84-368-1735-4
Printed in Spain
Impreso en Lerko Print, S. A.
Paseo de la Castellana, 121. 28046 Madrid

A mi sobrino Ángel,
el príncipe que destronó al rey.

Índice

Prólogo

El grado de desarrollo de una sociedad puede medirse por la atención prestada a los más débiles, y, entre éstos, los niños constituyen el grupo más numeroso. A finales del siglo XX, desde nuestra cultura occidental nos puede parecer casi increíble el hecho de que hasta finales del siglo XVII y principios del XVIII, y esto sólo para la población de elevado nivel socioeconómico, la niñez no empieza a ser considerada como un período de edad diferente a la adulta, con características y necesidades propias. El niño hasta entonces era un hombre en pequeño, útil para trabajar, si no era víctima de las elevadas tasas de mortalidad infantil, útil para procrearse a temprana edad y producir más fuerza de trabajo. Sin embargo, una mirada a la forma de vida de los niños en la actualidad en muchos de los países en vías de desarrollo nos hará perder la incredulidad y comprender que esto pudo ser así.

Ha sido en el siglo XIX y fundamentalmente en el XX cuando se ha reconocido la infancia como una etapa distinta del desarrollo con necesidades y peculiaridades propias. Esto ha supuesto que la psicopatología infantil y las técnicas de intervención aplicadas a la infancia se hayan desarrollado tardíamente; hasta este siglo, las concepciones sobre los trastornos de conducta en el niño y su tratamiento eran idénticas a las existentes para explicar y tratar los trastornos en los adultos.

En el presente siglo, cuando se desarrolla la psicología científica, también la psicología clínica infantil ha ido rezagada de la clínica de adultos, y ello pese a que la psicología clínica surge con la aplicación de conocimientos psicológicos a problemas en la infancia y la terapia/modificación de conducta igualmente con la aplicación al tratamiento de las fobias. Así, el desarrollo de estrategias de evaluación y tratamiento en la infancia y la adolescencia ha sido más bien escaso hasta el último cuarto del presente siglo.

Esta reflexión general es también válida, en parte, para la breve historia —veinticinco años escasos— de la psicología científica en nuestro país, y ello curiosamente cuando también en España los primeros psicólogos aplicados intentaban dar respuesta a una demanda que era mayor en el campo de atención psicológica para problemas en la infancia y la adolescencia. Es a partir de la década de los sesenta en Estados Unidos y de los ochenta en España cuando se inicia de forma sistemática el diseño y la aplicación de tratamientos conductuales a niños y adolescentes.

Sin embargo, en nuestro país, es destacable el esfuerzo realizado por ganar el terreno perdido (prueba de esta afirmación es la propia colección en la que está incluida esta obra, dedicada en su totalidad a la evaluación y tratamiento de problemas infantiles) y es también destacable el nivel de conocimientos alcanzado en dos escasas décadas por la psicología científica infantil. Es admirable comprobar que pese a nuestra tardía incorporación, ésta se ha compensado con el extraordinario trabajo realizado por los profesionales de la psicología española, siendo este libro una prueba más de esta afirmación.

Ciertas conductas disruptivas, como desobediencia, agresividad, terquedad, etc., son las que con más frecuencia requieren la atención del psicólogo a petición de padres o profesores. En muchas ocasiones son los propios padres quienes argumentan que se ha producido ese cambio de comportamiento a consecuencia del nacimiento de un hermano y lo «explican» por la aparición de «los celos».

El nacimiento de un hermano altera las relaciones de la madre y del padre con el primogénito, produciéndose en la mayoría de los casos un cambio claro en la conducta de éste (aumento en las demandas de atención, en las conductas negativas dirigidas a los padres, alteraciones del sueño, pérdida del control de esfínteres, etc.); pero también se observa en algunos niños cambios positivos ante el mismo suceso vital (comer solo, vestirse o usar el aseo sin ayuda). Así, las consecuencias del acontecimiento no son uniformes en todos los casos, y mientras que unos niños pueden mostrar perturbaciones, otros aumentan sus habilidades para enfrentarse a la situación. Hay factores personales y del contexto que determinarán uno u otro resultado. A cierta edad el niño posee limitados recursos para afrontar las cuestiones existenciales con la suficiente pericia como para ajustarse exitosamente a las nuevas circunstancias. El niño, por su edad, es particularmente vulnerable y está expuesto a acontecimientos vitales importantes; puede experimentar problemas de adaptación que al no resolverse pueden ser el inicio de problemas mucho más determinantes para su desarrollo.

En el presente libro encontramos de forma rigurosa, clara y amena el modo en que los padres y educadores pueden actuar de manera correcta para prevenir la aparición del problema y facilitar en el niño la correcta adaptación a esa situación vital que ha cambiado.

La familia es fundamental en el modelamiento del niño, pues es el primer y más intenso agente de socialización, determinando qué estímulos sociales se le presentarán, qué se le enseñará, qué patrones conductuales van a recompensar y consolidarse y cuáles serán castigados e inhibidos. Podemos considerar como impresionantes las posibilidades que tenemos para, actuando sobre el medio, poder influir en la conducta normal y anormal de nuestros hijos. Cuando consideramos las relaciones íntimas, intensas y prolongadas, de naturaleza tan variada, que se producen entre padres e hijos, parece más evidente que la «cualidad» de esas relaciones tiene una importancia extraordinaria en el desarrollo de la personalidad del niño y su adaptación general.

El oficio de ser padres se puede aprender y mejorar. Tenga la seguridad de que la lectura de este libro le ayudará. El comportamiento humano es una combinación compleja de actos, sentimientos, pensamientos y motivos. El comportamiento humano no es aleatorio ni imprevisible, sino que sigue unas leyes. La psicología es la ciencia que estudia la conducta, las causas del comportamiento para alcanzar su comprensión, predicción y control; los psicólogos tratan de descubrir las leyes del comportamiento, y en este libro de manera precisa se les mostrará la forma adecuada de conducirse como padres. Aprender a ser padres requiere un proceso de instrucción que supone reflexión, adquisición de conocimientos y puesta en práctica de lo aprendido.

En el presente libro, el autor, con una dilatada experiencia en la clínica infantil, nos expone con un lenguaje riguroso y preciso, claro y bien ordenado, lo que facilita enormemente su lectura y comprensión, la definición del problema de los celos y, lo más importante, establece con precisión pautas para la intervención preventiva.

El libro que tiene en sus manos constituye una lectura muy interesante, tanto para profesionales que dedican su esfuerzo a mejorar el comportamiento de los niños como para los padres y educadores que en contacto con sus hijos o alumnos podrán aprender qué aspectos de su conducta motivan que el problema aparezca o se mantenga y cuáles permitirán que éste no se produzca o desaparezca. En definitiva, el libro constituye una magnífica guía tanto para comprender y evaluar la conducta del niño celoso como, y sobre todo, para orientarles hacia la prevención y solución de estos problemas.

El autor, Juan Manuel Ortigosa Quiles, es uno de esos psicólogos clínicos aplicados que ha sabido unir la práctica profesional con la investigación y la formación teórica y aplicada permanente. Su experiencia práctica se ve reflejada en la propia claridad, sin perder ni un ápice de rigor, del texto. Por otra parte, Juan Manuel Ortigosa es uno de esos psicólogos que tiene el privilegio de ayudar a los niños que son llevados a consulta y puede contemplar que tras su trabajo éstos son más felices y que del cambio producido también se benefician todos los que rodean al niño al instaurarse una relación familiar más gratificante.

En definitiva, el libro que aquí prologamos constituye una obra muy interesante tanto para profesionales como para los padres u otras personas que han de estar en contacto con los niños. Constituye una buena guía orientada hacia la prevención de un problema tan frecuente como el de los celos infantiles.

DIEGO MACIÀ ANTÓN
Profesor titular de Evaluación
y Modificación de Conducta.
Universidad de Murcia

1

El rey que perdió su trono
¿A qué llamamos celos infantiles?
¿Qué diferencia a los celos de la envidia y la rivalidad?
¿Qué actitud debe tomar ante los celos de su hijo?
Celos sanos, celos dañinos
¿Cuántos padres padecen lo mismo que usted?

El rey que perdió su trono

Seguro que usted ha oído hablar alguna vez del príncipe destronado, aunque en mi opinión más acertado sería denominarlo el rey destronado. Además de una amena novela de Miguel Delibes, es el adjetivo que se emplea para calificar a aquel niño que en un momento de su vida deja de ser el centro absoluto de atención de sus padres para tener que ceder su cetro a un nuevo rey que le arrebata el trono únicamente con el mérito de haber nacido después que él.

La llegada de un nuevo hermano resulta estresante para el niño, que vive este episodio con ansiedad, desánimo e incluso sensación de abandono. Es normal que usted dedique más tiempo al bebé, pero para su hijo lo que está sucediendo es que a él le presta menos atención porque le quiere menos que antes.

Sin embargo, no tema, lo habitual es que los celos sean la respuesta normal a este cambio producido dentro de la familia. Por ello, voy a orientarle para afrontar esta situación de forma positiva. Vamos a empezar por abandonar la creencia de que los celos, única y exclusivamente, son una cuestión que irremisiblemente acaba en un continuo enfado con el niño.

Es cierto que los celos interfieren en la vida cotidiana de su hijo, y lo notará por ejemplo en los trabajos escolares, los cuales de pronto son más descuidados o sencillamente se acumulan inacabados en el libro de fichas. También lo advertirá en el cambio de temperamento y comportamiento del niño, pues se volverá más retraído, reclamará mucho más su atención y le costará centrarse en sus actividades habituales. Pero, sobre todo, los celos afectan negativamente a la autoestima, debido a que el niño se echa la culpa a sí mismo de que usted haya dejado de prestarle tanta atención como antes, y en consecuencia ya no le quiere igual. Ante esta situación es necesario que afronte adecuadamente este problema e intente remediarlo antes de que evolucione hacia una situación más conflictiva y de difícil solución.

Ya hemos visto que los celos, aunque los catalogue de normales, en algunos casos pueden generar considerable ansiedad en los niños y frustración en usted. De este modo, aquello que en principio parece aceptable puede convertirse con el paso del tiempo en inconveniente e innecesario si no lo aborda y maneja con tacto.

El niño celoso imagina, inventa, interpreta erróneamente y exagera situaciones que en realidad son mera anécdota. Por ejemplo, puede vigilar con lupa si le ha tocado la parte más pequeña de la tarta de cumpleaños. En su mente, el trozo que ha recibido su hermano es más grande que la propia tarta, mientras que a él siempre le corresponde el pedazo más pequeño, sólo porque usted quiere más a su hermano.

Los celos surgen cuando el niño se siente desplazado y advierte que su poder se desvanece sin remedio, y conoce al culpable de este naufragio. A este fenómeno se le conoce como «síndrome de destronamiento», de modo que destronamiento y culpabilidad son los pilares sobre los que se cimenta el celo. Además, como cualquier persona que pierde poder, el niño intenta recuperarlo con los medios a su alcance, y ése es el instante preciso en que los celos se convierten en un problema para usted. Entiéndalo, ¿qué sentiría o haría si fuera un rey destronado?

Es necesario que desde este momento sea consciente de que cualquier experiencia nefasta puede ser útil. Así, ayudar a su hijo a superar los celos le permitirá que él aprenda a tolerar, compartir y participar tanto con su hermano como con sus amigos y compañeros de colegio. Por ello, entienda los celos como un aspecto necesario del proceso de socialización de su hijo, pues diariamente se aprende a ser amigo, hijo y hermano. Piense que este último papel concentra comportamientos de mando, obediencia, tolerancia y respeto que por motivos de la edad el niño es incapaz de satisfacer por su escaso desarrollo cognitivo y afectivo, teniendo que esperar a desarrollar estas habilidades para comportarse de forma adecuada.

¿A qué llamamos celos infantiles?

Los celos infantiles son una reacción temporal que sirve para que el niño se adapte a una nueva situación o demanda del ambiente producida por el nacimiento de un hermano y que se traduce en un conjunto de alteraciones emocionales y comportamentales en respuesta a un cambio en la estructura y la dinámica familiares existentes hasta ese momento.

En primer lugar, fíjese que hablo de una *reacción temporal*. Los celos son una más de las tantas conductas evolutivas que presenta el niño, del mismo modo que lo es el miedo. Cuántas veces se oye a las madres experimentadas decir *«déjalo, ya se le pasará»*. Es un buen consejo, pero también lo es ayudar al niño a superar la situación que está viviendo, principalmente porque le desborda debido a la falta de madurez cognitiva y afectiva, que le impide entender qué sucede y cómo resolverlo. La prueba de que los celos son transitorios es el hecho de que la mayoría de los hermanos, con el transcurrir del tiempo, evolucionan espontáneamente hacia conductas de cooperación, protección, consuelo, altruismo e igualdad.

En segundo lugar, los celos implican para el niño un período de estrés y sufrimiento que se traduce en una *alteración emocional y comportamental*. Lo verídico de este sufrimiento hace necesario que usted ayude a su hijo a manejar los celos de un modo adecuado con el fin de reducirlos y traducirlos en un proceso de aprendizaje.

En tercer lugar, la *adaptación* es la respuesta habitual ante un desequilibrio en el ambiente familiar que tiene como fin primordial equilibrar de nuevo la situación. No entienda el nuevo equilibrio como un retroceso, no. Se trata de una etapa a la que el niño debe acomodarse. La salida de la crisis tendrá como resultado una mayor madurez, pues su hijo habrá aprendido a soportar, manejar y resolver con eficacia una situación desagradable.

En cuarto lugar, el *desequilibrio* se produce *dentro de la familia*. Su estructura y su funcionamiento se alteran por el necesario reparto a que obliga la inclusión de un nuevo miembro. Baste atender a la variación que se produce en la calidad y cantidad afectiva que usted le proporciona su hijo. Fíjese que ahora le regaña por cosas en las que antes usted era más permisivo; es muy probable que usted y su pareja se encarguen de vestir y asear por separado a cada uno de los hijos cuando antes los dos atendían al mismo.

¿Qué diferencia a los celos de la envidia y la rivalidad?

Antes de seguir avanzado, y ahora que sabe qué son los celos, me parece oportuno que tenga clara la diferencia con la envidia y la rivalidad, pues es muy fácil confundirlos.

Para entendernos, se tienen celos cuando se desea algo que ya se ha poseído con anterioridad pero que ahora se ha perdido total o parcialmente, mientras que se envidia lo que nunca se ha poseído y es difícil de obtener.

El celo tiene un componente afectivo que en la envidia no es tan exagerado. Para llegar a sentir celos su hijo debe haber recibido afecto previamente y sentir que lo ha perdido, lo cual le llevará a luchar por recuperarlo. De este modo el celo se diferencia de la envidia en que el primero va más allá del pensamiento y conduce a la acción, obligando al niño a recuperar el afecto que cree haber perdido. Por su parte, la envidia implica admiración, pues el niño idealiza el objeto que envidia y le atribuye cualidades inalcanzables, de modo que lo que le atrae es la imagen idealizada que se ha formado en su cabeza.

Sólo podemos hablar de celos si su hijo tiene asimilada la noción de posesión y apego hacia la madre. Esto explica que los niños no muestren manifestaciones de celo hasta una cierta edad, pues primero debe existir una elaboración cognitiva de la posesión junto a la más innata de apego.

¿Qué actitud debe tomar ante los celos de su hijo?

Ante las primeras manifestaciones de celos, usted debe empezar por conocer qué le está sucediendo a su hijo y cómo puede ayudarle a superar esta situación. De su actuación depende que el problema se resuelva de forma saludable o se prolongue más de lo necesario.

Ante todo recuerde que si su hijo muestra celos es que está sufriendo. En dicha situación se manifiesta la ansiedad, el desasosiego y la angustia, que desaparecen cuando el niño aparta a su hermano y atrae la atención de la madre. Por otro lado también puede adoptar una actitud de aislamiento e involucrarse en tareas solitarias apartado de la familia, como una forma de retraimiento, llamada de atención o «castigo» hacia los padres.

Sin embargo, no se asuste, es normal que el niño reaccione y proteste a la vez que lucha para recuperar el cariño y atención de su madre. Tenga en cuenta que la pérdida del afecto es parcial, y siempre queda la posibilidad de volverlo a recuperar. El niño celoso sabe que puede recobrar el cariño y atención de la madre; por tanto, es incansable en su lucha. Para vencer puede llegar a utilizar artimañas que le llevan a comportarse como su hermano pequeño bajo la falsa creencia de que así obtendrá nuevamente el amor perdido. Estas conductas regresivas no son más que una de las muchas expresiones bajo las que se disfrazan los celos infantiles.

El objetivo fundamental es que el niño aprenda a compartir por igual el amor y la atención de los padres con su hermano, pues, aunque piense que los ha perdido, usted sabe que no es más que la redistribución del tiempo y la atención destinados a cada uno.

Es importante que tenga presente que la educación debe fundamentarse en atender a las características diferenciales de cada persona. Muchas veces he escuchado a los padres preguntarse *«cómo me han salido tan diferentes si los he educado igual»*. La respuesta es sencilla: porque no hay dos hijos iguales, del mismo modo que tampoco los padres son exactamente idénticos en la educación de cada hijo. Claramente los padres afrontan la educación de modo distinto según sea el hijo mayor o el mediano o el pequeño; además, el temperamento del niño mediatiza gran parte de la educación, es decir, no es lo mismo educar a un niño obediente que a uno desobediente ni a uno tranquilo que a otro nervioso. En general, los padres creen que a los hijos hay que educarlos del mismo modo. Pues no. La educación se abordará y planificará atendiendo a las características de cada uno de ellos.

Aunque pueda parecerle paradójico, educar en la igualdad puede fomentar los celos. A sus hijos debe darles las mismas oportunidades, pero la educación no tiene por qué ser necesariamente igual, primero porque no hay dos niños idénticos por muy hermanos que sean, y segundo, porque la predisposición y la actitud de los padres son distintas de un hijo a otro. Pero ¡cuidado!: el sentimiento de culpa y la negación pueden llevarle a anular toda diferencia entre los hermanos, a mostrar el mismo amor por cada uno, a no tolerar celos ni rivalidad y enfrentarlos con las mismas actividades y necesidades. Si usted no fomenta la diferenciación, el niño necesitará obtener el reconocimiento y atención de su entorno, lo que manifestará a través de comportamientos que den salida a su identidad personal.

Los padres dedican más tiempo al cuidado físico y afectivo de su primer hijo que al del segundo. Es lógico que usted se comporte de forma hipervigilante con el mayor debido a la novedad, desconocimiento y preocupación, que la experiencia diluye con la llegada del segundo, de modo que situaciones a las que anteriormente respondía con prontitud, desasosiego y a veces nerviosismo pasan a afrontarse con más calma, seguridad y resolución. Por este motivo, a la hora de la verdad, nunca se cría a dos hijos por igual.

Celos sanos, celos dañinos

Los celos emergen como consecuencia de la falta de atención a las múltiples necesidades internas del niño. Éste sufre cuando comprueba que sus necesidades emocionales no son veladas como antes y que ha perdido la exclusividad de la que disfrutaba. La madre no actúa con la rapidez que lo hacía, y en muchos casos tiene que «guardar cola» en espera de que finalicen los cuidados al hermano menor. Esta nueva situación tiene que asimilarla progresivamente; mientras tanto, no parece quedarle más remedio que padecer los accesos de celo.

Los celos sólo son dañinos si se dedica a reprimirlos o corregirlos o desprecia al niño por tener esa reacción natural. Este calificativo se adquiere si usted mantiene esta postura equivocada, que sólo contribuye a prolongar el malestar y desemboca en el celo malsano.

Esté tranquilo, no todo se debe a usted. Es cierto que, con el paso del tiempo, el niño acaba imaginando cosas que no son reales. Esta postura contribuye a mantener los celos bajo la batuta de la suspicacia y la sospecha continua, adoptando un papel de policía en permanente estado de vigilancia, que tolera muy mal cualquier comportamiento paterno de preferencia hacia el hermano. La visión del niño no tiene por qué coincidir con la realidad, de manera que la interpretación que hace de la nueva situación desemboca en los celos.

Es evidente que los celos también afectan al resto de la familia. Desde el punto de vista del niño, en un principio los padres y otros familiares centran por completo la atención en él como una novedad. Durante el tiempo que transcurre hasta el nacimiento del próximo hermano recibe el cariño, cuidado y tolerancia de todos los que le rodean. Al llegar el nuevo hermano ese flujo de atención se reparte entre ambos, pero sin que los padres se den cuenta de que se produce una transformación en la que el esmero, afecto y condescendencia se trasvasan significativamente al pequeño, mientras que al mayor le empiezan a llover las prohibiciones, responsabilidades y exigencias. En algunos momentos el mayor piensa que estorba o, al menos, que no es recibido igual. Para el niño existe un antes y un después del nacimiento de su hermano.

Las familias desestructuradas con vínculos inapropiados y mal funcionamiento son muy propensas a fomentar los celos malsanos. Así, la inadecuada relación madre-hijo con un

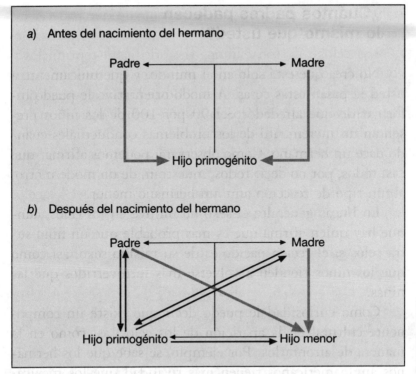

a) Antes del nacimiento del hermano

Padre ◄———————————► Madre

Hijo primogénito ◄————

b) Después del nacimiento del hermano

Padre ◄———————————► Madre

Hijo primogénito ◄————————► Hijo menor

Figura 1.1.—Modificación de la relación familiar debido al nacimiento de un nuevo hijo.

apego débil, padres con autoridad muy estricta o flexible, comportamientos paternos inestables, etc., son fuente de una mala relación entre hermanos que suele mantenerse más allá de la infancia.

Sería injusto obviar que también el hijo pequeño puede mostrar celos hacia su hermano mayor. Por ejemplo, algunas madres comentan que sus hijos pequeños reaccionan enérgicamente cuando ven que la madre atiende al mayor. Sin embargo, conviene puntualizar que, en general, las aproximaciones del pequeño suelen ser más amistosas que hostiles y que éste muestra más envidia que celo de los privilegios del mayor.

¿Cuántos padres padecen lo mismo que usted?

No crea que está solo en el mundo, y que únicamente a usted le pasan estas cosas. A modo orientativo le puedo informar de que alrededor del 90 por 100 de los niños presentan un incremento de los problemas conductuales cuando nace un hermano. Como observará, podemos afirmar que casi todos, por no decir todos, muestran, de un modo u otro, algún tipo de reacción ante un hermano menor.

En líneas generales el sexo no influye en los celos, aunque hay quien afirma que es más probable que un niño sufra celos si el recién nacido es de su mismo sexo, así como que los niños tienden a volverse más introvertidos que las niñas.

Como curiosidad le puedo decir que existe un componente cultural en la aparición de los celos, así como en la manera de afrontarlos. Por ejemplo, se sabe que los hermanos angloamericanos tienen más rivalidad que los mexicanos, tendencia que se acentúa con el incremento de la edad. También se sabe que los celos se dan en todas las culturas. Un caso curioso es el que se produce en Bali. En esta isla se fomenta el destronamiento del primogénito en familias con un solo hijo pidiendo prestado un niño a otra familia.

RECUERDE

- Los celos son evolutivamente positivos y constructivos, y representan una situación transitoria o permanente que afecta al niño debido a la angustia que le produce la pérdida del cariño de los padres, especialmente la madre, como consecuencia del nacimiento de un hermano.

- La envidia y la rivalidad tienen características que las distinguen y las convierten en ramas de un mismo árbol.

- La educación de los hijos debe fundamentarse en el respeto a la individualidad de cada uno de ellos.

- En mayor o menor medida, casi todos los niños sufren celos de su hermano menor.

2

Hermanos y demás familia

¿Cómo se aprende a ser hermano?

Antes de proseguir es necesario exponer cuál es el víncu-lo que se establece entre los hermanos durante la infancia. Conocer la evolución y la dinámica que subyace en la rela-ción entre los hermanos le ayudará a discriminar entre los comportamientos evolutivos saludables y los que correspon-den a una conducta celosa.

Estará de acuerdo conmigo en que a ser hermano se aprende, y este aprendizaje es una pieza básica de la socia-lización. La relación entre hermanos es una contribución di-recta al desarrollo emocional, cognitivo y social del niño. El hermano mayor es el primer contacto con iguales que tiene el niño pequeño; es lo más próximo y parecido a sí mismo que tiene desde su nacimiento hasta que accede a la escue-la infantil. A su vez, el hermano mayor tiene todo un cam-po para experimentar, aprender y consolidar relaciones con otros que van desde la cooperación hasta la rivalidad. Incluso le puedo decir que cada niño usa a su hermano como medio para su propia autodefinición.

La relación entre hermanos es compleja, diversa, rica en matices y a veces contradictoria. En algún caso, la ambiva-lencia que se observa en esta relación le llevará a sentirse desarmado ante las relaciones que se establecen entre sus hijos. Es habitual encontrar conductas de cuidado/descuido, obediencia/desobediencia o preocupación/despreocupación en un mismo niño. En el celoso se incrementan el descuido, la desobediencia y la despreocupación.

Los mismos niños definen la calidad de la relación con sus hermanos principalmente en términos de compañerismo, antagonismo, admiración hacia el hermano y disputas. Las variables de la constelación familiar (edad de los hermanos, número de miembros que conforman la familia, etc.), así como las características cognitiva, social y de personalidad del niño mediatizan tanto la relación padres-hijo como la fraterna.

Por su parte, el hermano menor, conforme va creciendo, imita las conductas del mayor y viceversa. Esta adopción del hermano como modelo a imitar es interesante, pues le ayuda a desarrollarse, aunque también le sirve para imitar conductas menos apropiadas de agresividad y desobediencia.

Centrándonos en los celos, éstos no suelen aparecer hasta los dos años de edad, por lo que es lógico pensar que la rivalidad fraterna se intensifica cuando el nuevo hermano empieza a andar e «invade» el territorio y el espacio del hermano mayor.

No hay que eludir el hecho de que la convivencia entre hermanos se da en el ámbito de la familia. La llegada de un nuevo hermano trasciende inevitablemente la estructura familiar, y el niño, consciente o inconscientemente, inicia un proceso de creación o reformulación de las alianzas y coaliciones previamente establecidas y, más en concreto, crea un lazo con el nuevo miembro de la familia. El período más importante en la formación emocional, social y cultural del niño es el que transcurre hasta los seis años. Durante este tiempo queda influido por numerosas experiencias dentro y fuera de la familia que determinan su desarrollo posterior, ya que las experiencias quedan impresas como una «calcomanía».

En definitiva, tener un hermano significa tener un compañero de juego, un modelo a imitar, una fuente de conflicto, un vínculo afectivo y un compañero de múltiples experiencias significativas.

Apego e interacción padres-hijo

Para que los celos aparezcan, previamente debe establecerse el apego hacia la figura materna, es decir, se debe poseer el cuidado, atención, protección y cariño de la madre. Este tipo de relación es el vínculo afectivo que se establece entre ambos durante el primer año de vida.

Un niño que siente la amenaza de perder el afecto y amor de la madre reaccionará con rechazo y odio hacia el nuevo hermano, que, a menudo, es visto como un entrometido. La llegada de este intruso suele coincidir con la aparición de exigencias y normas imprevistas de las que estaba exento hasta el momento. Esta etapa suele ocurrir entre los 12 y 24 meses, cuando el niño entra en un conflicto de alejamiento y acercamiento hacia los padres.

La figura de apego cumple una serie de funciones para el niño, pues no sólo se trata de la persona que le cuida y protege, sino que cumple la labor de apoyo en la exploración del mundo que le rodea, le adentra en las primeras etapas del lenguaje y cumple un importante papel socializador. La desaparición de estas figura lleva a que el niño viva un período de protesta, otro de desesperación y, finalmente, otro de resignación. En el primero, reacciona para intentar recuperar a la persona perdida; pero, ante la falta de respuesta, sobreviene una segunda fase en la que el niño, desesperanzado, muestra estados de ansiedad y depresión tras los que accede a una última fase en la que se resigna y acepta la nueva situación.

Del conflicto al interés, del interés al conflicto

El nacimiento de un nuevo hermano es, a la vez, fuente de conflicto e interés. Se trata de un «interés vigilante» que es particularmente evidente en la forma en que el niño observa con atención la conducta de la madre con el nuevo bebé. Es el momento en que su hijo utiliza una potentísima lente de aumento para vigilar los comportamientos de cuidado, cariño y atención respecto a él y a su hermano. A esta lente se le une una báscula mal calibrada en la que se sopesa lo imparcial del comportamiento materno. Cuando se ve en desventaja, el niño se altera, empieza a mostrarse rebelde, llora, duerme mal o se hace pipí en la cama.

Curiosamente, al mismo tiempo existe un interés por su nuevo hermano que se muestra especialmente en las conductas imitativas. Este comportamiento se da durante el primer año de vida del bebé, para progresivamente producirse una clara inversión que desemboca en la copia de las conductas del mayor por parte del pequeño. Mientras que en un primer momento las conductas imitativas tienen una finalidad de comunicación o regresión, posteriormente el hermano pequeño encuentra un vehículo apropiado para el aprendizaje de conductas evolutivas de etapas posteriores. Los pequeños comprueban y después intentan repetir las conductas de sus hermanos, lo que les convierte en el medio para facilitar el dominio del entorno.

El niño también imita conductas de los padres en el cuidado del bebé. Mediante la imitación empieza a desarrollar comportamientos de atención, cuidado, protección y cooperación típicas de los padres. Un ejemplo lo encontrará en el juego de muñecas, donde las niñas trasladan y ensayan las conductas de dar de comer, regañar, llevar de paseo, todo ello junto a un lenguaje imitativo del materno.

Un mismo niño puede exhibir conductas de protección

hacia el bebé cuando otras personas lo miran o en broma intentan llevárselo y en otras ocasiones mostrarse hostil y enemistado con el hermano pequeño.

Así pues, junto al conflicto entre hermanos, también podemos encontrar conductas positivas como la colaboración. Aunque los enfrentamientos fraternos van descendiendo durante los años preescolares, también pueden prolongarse más allá en el caso de hermanos del mismo sexo.

La hora del baño

Madre (al hermano pequeño): «*Venga, el nene va a ponerse guapo, qué guapo es el nene*».
Niña: «*Mamá, cállate que me molestas*».

Cooperación y preocupación

Para comprender por qué su hijo padece celos es necesario que entienda que los niños hasta los cuatro o cinco años de edad atraviesan una fase de egocentrismo, lo cual no debe confundirse con el egoísmo. Esta etapa se caracteriza por la incapacidad para diferenciarse del hermano pequeño, lo que se supera cuando adquiere la habilidad de distanciarse y autoafirmarse como individuo.

Cuando el niño entiende que sus emociones y necesidades son distintas a las del resto de personas, es el momento en que emerge lo que llamamos empatía. Así, sólo se puede hablar de conductas de cooperación o preocupación desde el momento en que comprende y responde a las necesidades cognitivas y emocionales de los otros.

Por su parte, las conductas de generosidad aparecen aproximadamente hacia los seis años, se completan alrededor de los 11, y evolucionan independientemente del género, la inteligencia, la situación socioeconómica o el número de hermanos.

Se sabe que la capacidad para identificar emociones como enojo, ansiedad, alegría y tristeza se adquiere hacia los 4 años si la persona que manifiesta la emoción es conocida por el niño, pero si se trata de un extraño esta capacidad no se alcanza hasta la niñez media o tardía.

En casos muy especiales, como es el maltrato doméstico infantil, el niño mayor sí muestra conductas tempranas de protección del hermano menor, intentando salvaguardarlo del daño físico que se les está infligiendo. Esta situación exacerba el instinto protector que posee el niño, eliminando cualquier atisbo de rivalidad fraterna.

Un hermano interesado
Madre (al pequeño): «*Si no te vistes rápido para ir al colegio, te castigo*». Hermano mayor (al pequeño): «*Si no te vistes, te doy caramelos*».

Consuelo y daño

Del mismo modo, para que se produzcan conductas de consuelo es necesario que su hijo pueda adoptar el punto de vista del otro, además de adquirir la habilidad para discriminar emociones de tristeza, angustia o desesperación.

Hay niños que son eficaces en el cuidado de su hermano menor cuando éste se altera porque la madre tiene que salir de casa e intentan calmarlo con muestras de cariño en un intento de confortarlo. La conducta más frecuente es la de asegurar que la madre volverá en seguida, lo cual puede ser el resultado de habérselo oído decir a usted mismo en algún momento.

Por otra parte, tampoco es extraño observar conductas de poder y sometimiento en la relación entre hermanos. Así, niños inseguros, con baja autoestima y dificultad en la relación con compañeros o amigos encuentran en su hermano menor el sujeto propicio para proyectar sus frustraciones y angustias. En ese momento el niño se cree superior a su hermano, él es el que manda y el otro el que obedece. Esta situación es ideal hasta que el pequeño se rebela contra la autoridad que ejerce su hermano. Un campo propicio para desarrollar este tipo de relación es el juego, en el que el mayor es el policía y el pequeño el ladrón, es decir, el bueno y el malo, el fuerte y el débil.

Cuando mamá ha salido de casa

Niño (al hermano pequeño): «*No llores más. Mamá viene pronto. Mira como yo no lloro, yo te cuido. Si no lloras, jugamos a los coches. No llores más*».

Juegos con el hermano

El niño y el juego están inevitablemente unidos, y sería un grave error separarlos. A través del juego el niño crece como persona al aprender a relacionarse con su ambiente; además, da rienda suelta a su imaginación, dejando fluir sus preocupaciones, temores y necesidades. Es el espacio donde los pequeños confunden realidad y ficción, en especial durante los primeros cinco años de vida.

El juego también es un marco perfecto para que su hijo aprenda a ser hermano, pues en él se dan situaciones de fricción, competitividad, rivalidad, cooperación e imitación. La interacción entre hermanos también se estimula en juegos de adopción de papeles. Juegos como el escondite, policía y ladrones, las tiendas, etc., son característicos de la infancia y permiten poner a prueba distintos tipos de interacción social, como el dominio, la sumisión, la colaboración, etc.

Hasta los cinco años, los hermanos juegan de un modo descoordinado y espontáneo, aunque poco a poco parecen ser capaces de participar en juegos cooperativos. En cambio, a partir de los seis años el juego es una actividad mucho más organizada donde el mayor enseña, aconseja y ordena al menor.

Pese a todo lo dicho, no se lleve a engaño: los hermanos mayores prefieren jugar con sus compañeros, amigos o incluso niños menores antes que con su hermano pequeño. Esto puede explicarse porque las características propias de la relación entre hermanos dificultan que éstos jueguen juntos. Por ello, si espera que sus hijos jueguen como amigos, debe saber que los hermanos pequeños son incapaces de interactuar en una verdadera igualdad y de un modo recíproco.

¿Hacia dónde vamos?

Lo habitual es que con el paso del tiempo los celos evolucionen hacia la rivalidad, pues el hermano mayor supera su estado de angustia inicial autoafirmando su individualidad y alcanzando una mayor comprensión de la verdadera relación con su hermano menor. A partir de los cinco años declina el egoísmo para permitir el progresivo surgimiento de conductas igualitarias y de equidad. Estas conductas están relacionadas con el sentido de justicia, que alcanza su mayor expresión hacia los 11 o 12 años.

Aunque afortunadamente son pocos los casos, algunos adolescentes y adultos mantienen el rencor hacia su hermano como resultado de un conflicto de celo o envidia mal resuelto en la infancia que fermenta en la edad adulta en situaciones de competitividad y fuerte rivalidad. De hecho, en los niños pequeños en los que los sentimientos de celo y envidia emergen con facilidad dentro de la relación fraterna la transición de la rivalidad y la competición hacia el acuerdo y la cooperación puede convertirse en una lucha sin fin.

Normalmente con la llegada de la adolescencia es cuando surge un período de conflictos, peleas y celos fraternos que suelen desaparecer al poco tiempo, dando paso a otra que se caracteriza por la amistad y el afecto entre hermanos.

Sin embargo, en algunos casos los celos traspasan la barrera de la niñez para adentrarse en el complejo e ingrato período de la adolescencia. El mantenimiento del resentimiento conduce a comportamientos que en estas edades se agravan por lo extremadamente llamativo de algunas conductas que hasta ese momento los padres sobrellevaban, pero que ahora adquieren tintes de amenazas, agresividad e intolerancia.

La comparación excesiva, en especial en el ámbito académico, los privilegios o la preferencia hacia uno de los hijos son causa del resurgimiento o acentuación de los celos en la adolescencia. Durante este período la persona se siente vulnerable por cualquier comentario, y los ataques a su autoestima e individualidad son muy dañinos comparados con la etapa infantil. El adolescente busca su identidad, y cualquier hecho que interfiera en esa labor es altamente perjudicial.

La adolescencia es el período crucial en el que el sujeto, en su paso hacia la edad adulta, sigue buscando su propia identidad y, a la vez, su diferenciación respecto a los demás. Por tanto, éste es el momento en el que se incrementa la necesidad de ayudar al adolescente a autoafirmar su personalidad y confiar en sus propios criterios, creencias y opiniones. En caso contrario, crecerá supeditado a la continua comparación con los otros, así como a la aprobación y refuerzos externos.

Hermano o amigo

La relación con los amigos es fundamentalmente distinta a la que se establece entre hermanos. En primer lugar al hermano no se le elige: «te toca y se acepta», lo cual determina en gran medida el resto de características. En cambio, al amigo se le selecciona por razones de afinidad y simpatía, eliminando algunos de los componentes negativos presentes en la relación con un hermano. Además, antes de llegar a la elección definitiva, se producen numerosas interacciones previas a través del juego u otras actividades que permiten conocer al amigo y decidir si se quiere adoptar como tal y, posteriormente, si las cosas van mal, en qué momento se desea abandonar.

Habitualmente, la relación fraterna es la primera relación social significativa que experimenta el niño. Normalmente los hermanos suelen formar el primer grupo de iguales con el que se convive, y eso sirve de plataforma para practicar patrones de interacción; por ejemplo, cuando se le cuida, se juega con él o se le da una orden, el niño realiza comportamientos que posteriormente se van a emplear con otros niños ajenos a la familia.

Seguramente por la falta de posibilidad de elección que antes le comentaba es por lo que la relación fraterna en la infancia es más propensa a la fricción, la competitividad y la rivalidad. Este hecho también se debe a que los hermanos están forzados a mantener una intensa relación a largo plazo durante un período de tiempo en el que son socialmente incompetentes.

El mundo que nos rodea

Tanto usted como el resto de su familia (especialmente los abuelos) son elementos primordiales en la socialización de su hijo, al igual que también lo son los profesores y compañeros de colegio.

Usted tienen el deber de enseñar, controlar y modelar; en una palabra, educar al niño. A veces se habrá sentido desorientado y desamparado en esta tarea, de modo que, muy probablemente, se habrá hecho la pregunta: «¿*Y quién nos enseña a ser padres?*». La respuesta es muy sencilla: nadie, pues se trata de una labor que se transmite de generación en generación. Sin embargo, y espero que no sea su caso, existen familias desestructuradas con situaciones altamente conflictivas que generan numerosos comportamientos hostiles dentro y fuera del ámbito familiar, siendo una posible explicación que los padres no han sabido actuar correctamente como agentes socializadores.

RECUERDE

- No exija a su hijo conductas que por su desarrollo cognitivo es incapaz de realizar.

- La relación fraterna se diferencia de la que se establece con amigos: la primera viene impuesta y la segunda se elige tras numerosos contactos previos.

- Si los celos no se resuelven a tiempo, accederá a edades superiores, entre las que aparece como especialmente conflictivo el período de la adolescencia, adquiriendo distintas formas de agresividad y rechazo al hermano y los padres.

- Permita que el adolescente adquiera su propia personalidad reforzándole las creencias, opiniones y criterios personales que vaya expresando, pues de este modo se forjará la individualidad del sujeto.

3 ¿Por qué un niño es más celoso que otro?

Factores que controlan los celos

Si bien los celos se manifiestan a través de un conjunto de conductas y emociones dirigidas por el sentimiento celoso, sería injusto caer en la simple generalización, pues cada niño padece los celos a su manera y sus manifestaciones son amplias y muy variadas. Esto se debe a que distintos aspectos controlan la respuesta en función de variables personales y ambientales que regulan la frecuencia, intensidad y duración de la conducta.

Los celos dependen de factores que los predisponen, precipitan y mantienen. Entre los *factores predisponentes* se encuentra la edad, la diferencia en años entre los hermanos, la composición de la familia, el temperamento del niño y la calidad de la relación establecida con los padres. Por su parte, el principal *factor desencadenante* es el nacimiento del hermano, que repercute en el niño con cambios en el estilo de interacción y comunicación con los padres, desapego y, en algunos casos, transformaciones en el ambiente familiar. Finalmente, tenemos los *factores de mantenimiento,* entre los que se incluyen la comparación innecesaria entre hermanos, la excesiva atención dispensada al hermano menor por parte de los padres y familiares, el incremento en las órdenes y exigencia, el refuerzo de conductas inadecuadas y ser hermanos del mismo sexo.

Edad, sexo y nivel socioeconómico

Los celos suelen tener su punto álgido entre los dos y cuatro años. Existirá una mayor vulnerabilidad cuando la llegada del hermano se produce antes de los cinco años debido a que el niño aún depende en gran medida de su madre y la alteración del vínculo afectivo repercute con mayor intensidad en un niño pequeño.

Si bien los niños no son más celosos que las niñas, si sus hijos son del mismo sexo existe una mayor probabilidad de que estén celosos entre ellos que si fueran de distinto sexo. Tradicionalmente se considera que las niñas están socialmente más modeladas y preparadas para mostrar conductas de atención, cuidado y afecto hacia el bebé. Esta preparación se produce a través del juego con muñecas, donde tienen todo un campo para ensayar estos comportamientos mediante actividades lúdicas como darles de comer, acostarlas, bañarlas y llevarlas de paseo.

Respecto al nivel socioeconómico, los niños procedentes de clases socioeconómicas bajas tienen mayor probabilidad de mostrar conflictos sobre la posesión de objetos materiales que los niños de clases superiores. El motivo es que en las clases altas se satisfacen con más facilidad las necesidades materiales y emocionales y suelen ser familias con una estructura más tradicional y estable.

La diferencia de edad entre los hermanos

Es más difícil que se den los celos cuando los hermanos se llevan más de tres años entre sí, debido a que se produce una diferencia cronológica suficiente como para permitir al mayor dejar de considerar al pequeño como un rival directo. Piense que se está hablando de niños de cinco años o mayores. Por tanto, la mayor independencia sirve de colchón para amortiguar la aparición de los celos. En cambio, se incrementa considerablemente cuando la diferencia es inferior a dos años y medio debido a la similitud de necesidades. Es entonces cuando se genera el conflicto al depender ambos de la atención y afecto de la madre. Sin embargo, se observa que cuando los hermanos ya son mayores, la proximidad en edad puede ser beneficiosa al permitirles compartir experiencias, intereses, necesidades y preocupaciones.

La composición familiar

Las familias actuales han reducido el número de hijos debido a factores económicos, laborales y de calidad de vida. Las antiguas familias numerosas han dado paso a familias con uno o dos hijos donde desaparece la figura del mediano.

Además, las nuevas configuraciones familiares con padres separados o divorciados o madres solteras han dado paso a la creciente aparición de familias en las que el padre o la madre adopta el papel de ambos. La preferencia del hijo por el padre/madre ausente acentúa los celos. Piense que este padre o madre, al disponer de menos tiempo con el niño, lo dedica a sus actividades lúdicas preferidas, evita el castigo, da consejos paternalistas y, en definitiva, crea una interacción gratificante. En cambio, el padre o madre presente se convierte en una especie de «carcelero» que riñe, impone normas y prohibiciones; en pocas palabras, es el «malo» con el que se convive. Ante esta situación, la preferencia del padre ausente por uno de los hermanos acentúa los celos.

El mayor y el pequeño (¡ah! y el de en medio)

A estas alturas del libro estaremos de acuerdo en que el *hijo primogénito* es el que recibe con mayor impacto el nacimiento de un hermano. Hasta ese momento acaparaba toda la atención de los padres, y a partir de la llegada del hermano tiene que padecer la comparación en el trato, compartir el cariño y la atención y, en el peor de los casos, ver pasar por delante de él regalos para su hermanito. La edad del niño en el momento del nacimiento de su nuevo hermano es importante.

El *hijo mediano* sufre menos un nuevo nacimiento; está acostumbrado a crecer en un ambiente de cooperación, reparto del afecto y atención. El problema puede aparecer cuando queda aprisionado en mitad de la fratría, pues por un lado no se le exige o admira como al mayor y no se le atiende o mima como al pequeño. En general, los medianos envidian al mayor por sus privilegios y sienten celos del pequeño por la atención que se le dispensa.

El *hijo pequeño* se encuentra en una posición privilegiada: no se le exige como al mayor ni se le desatiende como al mediano. Sin embargo, corre el riesgo de la protección excesiva cuando hay una considerable diferencia de edad respecto a los otros. Aunque tradicionalmente al pequeño se le conoce como el mimado de la casa al disfrutar de ciertos privilegios y no cargar con excesiva responsabilidad, también es un importante candidato a mostrar celos cuando los padres atienden al mayor.

Temperamento

El niño malhumorado tiende más a incrementar la introversión, los problemas de sueño y la dependencia tras el nacimiento de un hermano, a la par que es más improbable que muestre un interés positivo y afectivo por el bebé.

Si su hijo está acostumbrado a recibir con prontitud su atención, puede tolerar de mala gana las inevitables demoras que se producen al tener que atender al bebé. Por ello, en este momento se acentúa lo que se conoce como baja tolerancia a la frustración, pues reclamará mediante rabietas u otras manifestaciones su inmediata atención.

Existe una relación entre el temperamento del hermano mayor y la reacción de pena o disgusto del hermano. Así, si el niño responde con inquietud extrema ante el llanto del bebé, es muy probable que se preocupe de cuando su hermano esté en peligro. El inconveniente es que en realidad este comportamiento se enmarca dentro de la excesiva vigilancia que su hijo realiza sobre el hermano.

La relación con el hijo mayor

El grado de apego que el niño tenga con usted también determinará la reacción que experimentará ante el nacimiento del hermano. Por ejemplo, si existe enfrentamiento entre usted y su hijo antes de la llegada del bebé, mediante habituales prohibiciones y limitaciones, será más probable que el niño esté irritado y molesto con el hermano, lo que llevará a una relación más conflictiva.

Estado emocional de la madre

Si la madre se encuentra triste, irritable, cansada o deprimida durante las semanas o meses posteriores al parto, no entablará una buena relación con sus hijos, lo cual se relaciona con el desarrollo de la timidez y el retraimiento en el niño por la falta de la adecuada atención de la madre.

CUADRO 3.1

Factores predisponentes, desencadenantes y de mantenimiento de los celos infantiles

Factores predisponentes	Edad.	Mayor/menor de cinco años.
	Diferencia de edad.	Más/menos de tres años.
	Estructura familiar.	Monoparental/biparental/bifilial/trifilial.
	Temperamento del niño.	Fuerte/nervioso/tranquilo.
	Relación madre-hijo previa.	Exigente-tolerante.
Factores desencadenantes	Nacimiento de un hermano:	
	• Atención al bebé.	Excesiva-normal.
	• Cambios en el hogar.	Muchos-ningún cambio.
	• Desapego madre-hijo.	Excesivo-normal.
	• Capacidad de bipedestación del hermano menor.	
Factores de mantenimiento	• Comparaciones entre los hermanos.	Excesivas-inexistentes.
	• Atención al hermano menor.	Excesiva-normal.
	• Exigencia.	Mucha-ninguna orden.
	• Refuerzo de conductas celotípicas.	Refuerzo/castigo/extinción.
	• Sexo de los hermanos.	Mismo/distinto sexo.

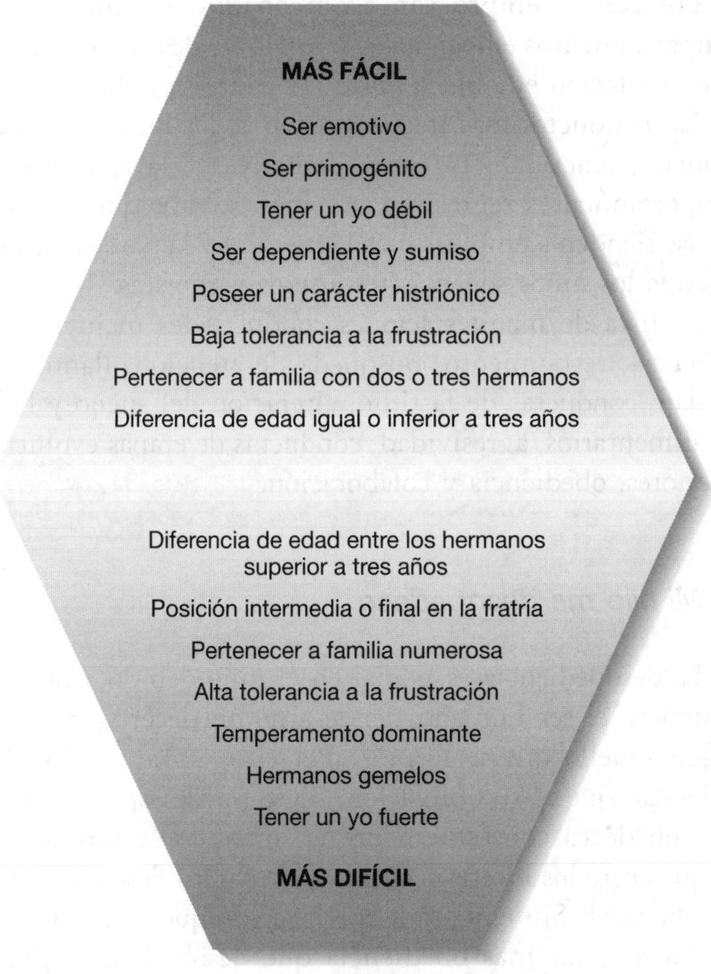

MÁS FÁCIL

Ser emotivo

Ser primogénito

Tener un yo débil

Ser dependiente y sumiso

Poseer un carácter histriónico

Baja tolerancia a la frustración

Pertenecer a familia con dos o tres hermanos

Diferencia de edad igual o inferior a tres años

Diferencia de edad entre los hermanos
superior a tres años

Posición intermedia o final en la fratría

Pertenecer a familia numerosa

Alta tolerancia a la frustración

Temperamento dominante

Hermanos gemelos

Tener un yo fuerte

MÁS DIFÍCIL

Figura 3.1.—Factores que facilitan o dificultan la aparición de los celos infantiles.

¿Qué conductas acompañan a los celos?

Los celos siempre van acompañados de emociones y comportamientos emocionales y conductuales como reacción ante la relación entablada entre los padres y el bebé.

Las conductas más frecuentes son coger los juguetes del pequeño, tener rabietas muy llamativas y la aparición de comportamientos regresivos. Además, se sabe que las niñas celosas tienden a emplear más la mentira y la fantasía, mientras que los niños son más testarudos y egoístas.

La lista de manifestaciones conductuales incluye desobediencia, retraimiento, búsqueda de atención, llanto, terquedad, conductas de fastidio, alteración del sueño y hábitos alimentarios, agresividad, conductas de etapas evolutivas anteriores, obediencia y colaboración.

Mi hijo me desobedece

La desobediencia es nomal en el niño debido a que por naturaleza el ser humano tiende a no obedecer si no le satisface aquello que se le pide. Por ello, aunque los padres entiendan que es su obligación, no se puede esperar que un niño obedezca constantemente. A menudo se produce un choque entre los intereses de los padres y los deseos del niño por obedecer. Sin embargo, la educación que recibe le conduce a mostrar más obediencia que desobediencia por el efecto del aprendizaje de las consecuencias negativas que el acto de desobediencia le puede acarrear. En el niño celoso, la balanza se decanta del lado de la desobediencia de forma llamativa, y responde a la doble finalidad de fastidiar a los padres y obtener su atención aunque sea a través de la reprimenda y el grito, usando en su beneficio la atención que recibe por su desobediencia.

Madre (al niño mayor): «*Recoge los juguetes*».
Niño: (Silencio).
Madre: «*Recoge los juguetes, que vas a cenar*».
Niño: «*¡Ya voy!*».
Madre: «*Es la última vez que te lo digo, o guardas los juguetes o te acuestas sin cenar*».
Niño: «*¡Jo!, siempre me toca a mí*».

Mi hijo reclama mi atención

Es común que el niño celoso interrumpa constantemente, se muestre muy alborotado o incordie cuando se está atendiendo al pequeño. En algún caso estos comportamientos se interpretan como conductas hiperactivas; pero no se equivoque: meramente es la forma que tiene de reclamar su atención.

Las conductas suelen ser más llamativas cuanto más las ignoran los padres. Ante la falta de respuesta, su hijo necesitará incrementar la frecuencia e intensidad de su comportamiento hasta llevarle a usted al estallido de su paciencia; habrá caído en la trampa y desviará su atención hacia el hijo celoso.

Por ejemplo, formas habituales de reclamar su atención son comportamientos como revolotear alrededor de la madre, constante interrupción de las actividades de los padres o hacer alguna trastada.

Mi hijo se ha vuelto más retraído

Algunos niños se vuelven más introvertidos tras el nacimiento del hermano. Esta reacción también se relaciona con un descenso de la autoestima al sentirse apartados de la nueva situación familiar.

El retraimiento, especialmente observado en niños, supone un paso atrás en el proceso de socialización en cuanto rehúye la interacción con otras personas, se involucra en un mayor número de juegos solitarios y evita salir de casa tanto como lo hacía antes. El niño se muestra inseguro y temeroso, motivo por el cual se refugia en su mundo, donde se encuentra cómodo, resguardado y seguro.

El retraimiento está asociado a variables de temperamento y al estado emocional de la madre. Así, los niños malhumorados, cuyas madres están cansadas o deprimidas, son más propensos a mostrar este tipo de comportamiento.

Mi hijo siempre llora

El incremento de llanto y de las rabietas es característico en los niños celosos. Es la forma de presionar a los padres y reclamar su atención para obtener su deseo. Se trata de una forma habitual de comportamiento en la infancia, una de las estrategias más eficaces y demoledoras con las que cuenta el niño, pues es fácil que ese llanto molesto e incesante le desespere hasta hacerle perder los nervios.

El problema con el que aquí nos encontramos es que el llanto puede acabar siendo la vía de interacción entre usted y su hijo, pues cada vez que el niño le quiera reclamar algo llorará para hacerse notar. Por ello, procure ignorar el llanto como forma de contacto y potencie los momentos en los que el niño solicite las cosas correctamente.

Mi hijo come y duerme mal

La alteración en los hábitos de sueño y alimentación es otra manifestación asociada a los celos. La aparición de pesadillas e inapetencia es característica como señal del malestar y, en cierto modo, muestra de un estado depresivo en el niño celoso.

Esta alteración está asociada a períodos de estrés producidos por cambios significativos en el ambiente, como es el caso de la llegada de un nuevo hermano. Así, el insomnio, las pesadillas, los terrores nocturnos y el aumento o descenso en el apetito se unen a los celos enrareciendo aún más si cabe el problema. También existe una importante relación entre el incremento de prohibiciones y el aumento de problemas de sueño.

Mi hijo molesta a su hermano

Su hijo puede irritar deliberadamente al bebé despertándolo de su sueño con la ayuda de pequeños empujoncitos o pellizcos, quitándole un muñeco o el chupete, llevándose la botella de agua o abrumándolo con excesiva atención física. Estos comportamientos tienen una evidente finalidad de fastidio hacia el bebé, y en especial hacia usted. Son conductas menos llamativas y alarmantes que las agresiones físicas violentas, pero a la vez son más constantes. Serían esas gotas que al final desbordan el vaso de su paciencia.

Niño, no fastidies

Madre (al hermano mayor): «*Deja a tu hermano tranquilo, que no te ha hecho nada*».
Hermano mayor: «*Si es él, que no me deja jugar*».

Mi hijo pega a su hermano

Los niños se muestran agresivos hacia sus hermanos pequeños fundamentalmente para llamar la atención de sus padres. En estudios en los que se pidió a los padres que se mantuviesen al margen de los enfrentamientos de sus hijos se observó una disminución de la frecuencia de las disputas.

Por otra parte, el comportamiento agresivo de algunos padres para resolver estas peleas, así como ambientes familiares tensos por motivos económicos o emocionales, incrementan la probabilidad de agresividad en general y con el hermano en particular. Existen más comportamientos fraternales hostiles en familias en las que la relación entre los padres y de éstos con el hijo es negativa, demostrando la influencia de un ambiente hostil sobre el comportamiento agresivo.

La agresividad se desenvuelve en un continuo que va desde la irritabilidad y el insulto hasta la agresión física a personas u objetos inespecíficos o relacionados con la persona hacia la que se proyectan los celos.

La agresión verbal es mucho más frecuente que la física, y la violencia hacia un hermano es mucho más frecuente que la ejercida sobre otros niños. En cuanto a la influencia del sexo, es más probable que los niños se involucren en sucesos agresivos con otros niños, mientras que no hay diferencias en la agresión entre hermanos.

Mi hijo parece un bebé

Las conductas regresivas resultan especialmente llamativas para los padres. Suelen consistir en habla infantil, volver a usar el chupete, deseo de dormir en la cuna, solicitar a la madre que le dé de comer, que le coja en brazos o mostrar mayor apego.

Este comportamiento responde a la imitación que el mayor hace del pequeño como una interpretación errónea por parte del niño de que así logrará la atención y el cariño de ustedes. Es como ir a luchar al terreno del rival con sus propias armas.

Sin embargo, mientras que algunas de las conductas regresivas pueden considerarse benignas al tratarse de actos de imitación y apenas alteran la vida familiar cotidiana, otras se convierten en fuente de estrés para los padres. Entre ellas merece una mención especial la pérdida del control del pipí. Son numerosos los niños que tras el nacimiento de un hermano, y después de un período de control de la micción, vuelven a hacerse temporalmente pis en la cama.

Mi hijo quiere mucho a su hermano

Es habitual escuchar a los padres responder a la pregunta del psicólogo «¿está su hijo celoso?» con las palabras «no, qué va, le quiere mucho, me ayuda a bañarlo y juega un montón con él». Esta respuesta no indica necesariamente la ausencia de celos. Hay niños celosos que cuidan a su hermano y se interesan por su bienestar. Lo que realmente sucede es que el celoso actúa bajo la creencia de que comportándose como sus padres esperan de él obtendrá toda su atención. En el fondo es una forma más de encubrir muy sagazmente los celos. Pero tenga cuidado: su hijo mostrará sus celos en privado, es decir, cuando esté a solas con el bebé. Los niños mayores que suelen ser amables y cariñosos con sus hermanos también se muestran alterados en otros aspectos o situaciones por los acontecimientos que acompañan la llegada del bebé. Este comportamiento responde a la necesidad de compensar el intenso sentimiento de culpa que les provocan los celos. De este modo, ocultan sentimientos negativos que a menudo tienen dificultad en reconocer.

Por el contrario, la conducta de colaboración también es indicadora de la madurez e independencia con la que el niño vive la presencia del hermano. En este caso se trata de una reacción saludable; por tanto, los padres tienen que fomentar este tipo de comportamiento, que ayudará a incrementar la confianza en uno mismo.

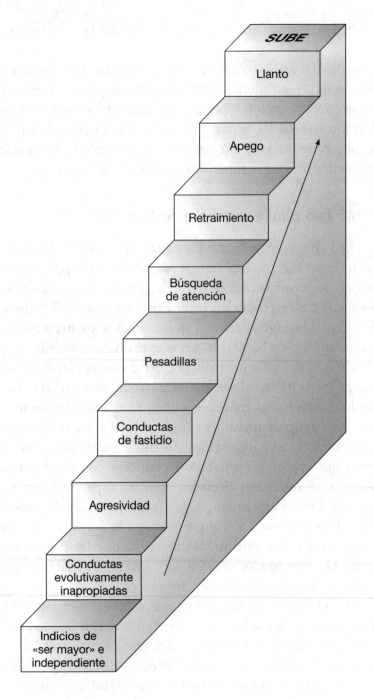

Figura 3.2.—Conductas que encontrará tras el nacimiento de un hermano.

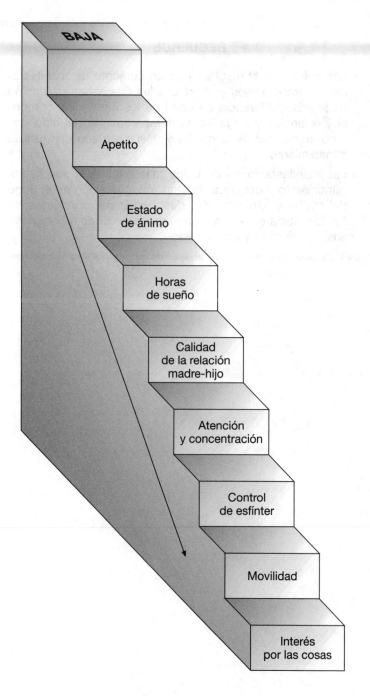

Figura 3.2.—*(Continuación).*

RECUERDE

- Los celos son el resultado de un conjunto de manifestaciones emocionales y conductuales que están en función de la edad, diferencia de edad de los hermanos, composición familiar y de la fratría, temperamento del niño, estado emocional de la madre y relación madre-hijo previa al nacimiento.

- Las manifestaciones de celos más habituales son llanto, retraimiento, búsqueda de atención, alteración en el ritmo del sueño y alimentación, desobediencia, conductas de fastidio hacia el hermano, agresividad, conductas regresivas, obediencia y colaboración.

¿Cómo sé si mi hijo está celoso?

La fuente de los celos

En realidad los celos no sólo son consecuencia del nacimiento de un hermano; otras situaciones también pueden provocarlos. Por ejemplo, si un amigo de su hijo muestra más interés por jugar con otro compañero de clase, eso le puede sentar bastante mal.

Lo que en principio altera al niño no es el nacimiento del bebé en sí mismo, sino que usted muestre más atención a su hermano que a él, que duerma en la misma habitación, que le dé de comer, y cosas similares.

Y de pronto aparece aquello que usted juró y perjuró que nunca haría: comparar a sus hijos. Éste es un juego muy peligroso debido a que en la comparación siempre sale alguien perdiendo, y el niño celoso se siente continuamente despreciado respecto a su hermano, que, además de ser más pequeño, lo hace mejor. Sepa que una de sus principales

---

Comparación innecesaria

Niño mayor: «*El nene se ha hecho pis*».
Madre: «*Vamos a cambiarlo. Tú sí que eras meón cuando eras un bebé, me pasaba todo el día cambiándote el pañal*».

contribuciones al desarrollo de los celos se encuentra en estas comparaciones innecesarias.

Otro choque para el niño es que de pronto usted le empiece a exigir que haga cosas que antes no eran de su competencia. Además, su vida da un giro de 180 grados en el que se origina un impactante cambio de papeles, y la permisividad y la tolerancia se traspasan al pequeño. En su interior se pregunta: «¿*Qué está pasando aquí?*», y dice cosas como «*esto no es justo*», «*¡jo, él lo hace todo bien y yo mal!*».

¿Qué es lo que le espera?

Los celos no son un sentimiento estático y compacto, sino que recorren un camino en el que poco a poco evolucionan a lo largo de una serie de etapas que voy a resumir en cuatro:

- *Transición:* En un primer momento surgen los celos normales, esperables y sanos, que tienen la finalidad de que el niño se ajuste a la nueva situación. Éste es el momento en que tiene que despabilarse y ayudar a su hijo a ir poco a poco asimilándolos.
- *Mezcla de sentimientos:* Posteriormente los celos evolucionan hacia su confusión con otras emociones como odio, envidia, rivalidad, etc., que enmascaran los celos que siguen en la base del problema.
- *Manifestación conductual:* A continuación su hijo empezará a manifestar sus celos en todo su esplendor a través de un abanico de frases y comportamientos que a usted le sacan de quicio.
- *Expansión:* Si los celos se convierten en odio, no se extrañe si aparece un rechazo exagerado hacia el hermano y un rencor desmedido hacia usted. Esta etapa es muy delicada y desesperante para los padres, pues es el mo-

mento en el que surgen conductas de agresión directa hacia la persona o sus posesiones, aunque en muchos casos la cosa no pasa de fastidiar al hermano. Si desafortunadamente esta etapa alcanza la adolescencia, los insultos y las peleas continuas son la manifestación de la agresividad provocada por unos celos aún no superados.

En un momento determinado, el niño es incapaz de resolver el conflicto a través de vías de expresión que apacigüen el malestar que le comporta la presencia de su hermano. En el pasado, no aprendió a compartir o tolerar al pequeño, de modo que ahora se ve ahogado en su espacio vital y emocional. La manifestación de los celos sigue la siguiente evolución:

- Los niños de un año aumentan las verbalizaciones, como llamar repetidamente a sus madres, además de incrementar conductas como poner sus brazos entre la madre y el hermano, intentar ver el libro que la madre le lee al hermano o emplear objetos del otro niño.
- Los niños de año y medio incrementan las verbalizaciones de posesión como «mío» o «mi libro» y conductas como colocar un libro en las rodillas de la madre o sobre el que está leyendo al pequeño. En esta edad también se observa la conducta de coger objetos del hermano.
- A los dos años y medio, los niños aumentan las verbalizaciones acompañadas de conductas. Por ejemplo, empujan a su madre y dicen *muévete*, señalan y dicen *ponlo en la cuna*, intentan subirse al regazo de la madre y verbalizan *yo también*, cogen un juguete que la madre tiene en sus manos y dicen *no, no, mi coche* y señalan al hermano a la vez que dicen *niño malo*.
- De los tres a los cuatro años y medio los niños acentúan las verbalizaciones con sentido e intención. Ha-

cen preguntas y comentarios acerca del hermano y su interacción con la madre. Intentan modificar la situación mediante quejas, solicitando pasar tiempo con el niño y que la madre se levante. También se producen verbalizaciones del tipo *«papá me salvará»* o *«voy a llamar a papá y le digo que eres mala conmigo»*.

A modo orientativo le voy a indicar un conjunto de criterios para que decida si se encuentra ante celos malsanos, o sea, aquellos que han dejado de tener una finalidad adaptativa.

- Si el niño es mayor de seis años y mantiene una conducta celosa exacerbada.
- La excesiva duración de los celos sólo se justifica por una mala resolución, dejando de cumplir una función adaptativa.
- Los celos son inapropiados si interfieren de modo significativo en las actividades y relaciones con otras personas, especialmente cuando el hermano pequeño no está involucrado.
- Cuando los celos se generalizan a distintas áreas de la vida cotidiana del niño.
- La reacción emocional y conductual exacerbada e injustificada frente al estímulo que la provoca no es apropiada más allá del período inicial de los celos.
- Cuando son la causa o se asocian a otros problemas psicológicos como los que se abordarán a continuación.
- Si los celos se dan en familias desadaptadas que fomentan la rivalidad entre los hermanos.

¿Qué aspecto tienen los celos?

¿Cómo se sabe si se está ante una respuesta de celos?, ¿cuáles son los comportamientos o actitudes que indican su presencia? Si bien es difícil generalizar, los indicadores de celos más representativos son los que a continuación le indico:

- *Conductas de etapas evolutivas ya superadas.* Se trata de reacciones que tienen como objetivo reconquistar el afecto y la atención perdida. Entre ellas mencionar conductas como micción nocturna en la cama, deseo de tomar la leche en el biberón, ser acunado, etc.
- *Desobediencia, negativismo u oposición.* No es extraño que el niño celoso dé salida a su tensión emocional mediante comportamientos de rebeldía que inciden en la sensación de desplazamiento fuera de la nueva estructura familiar.
- *Indiferencia.* El niño parece desinteresado por cuanto le rodea, y se muestra apático, despistado y aburrido, como ensimismado en un mundo que por otra parte ahora le es más satisfactorio.
- *Retraimiento.* El niño se sumerge en actividades solitarias o escasa participación en reuniones familiares.
- *Somatizaciones.* La tensión lleva a desarrollar síntomas de trastorno estomacal, malestar indefinido o dolor de cabeza.
- *Agresividad.* Se presenta sobre todo en casos asociados a un alto grado de celos. La agresividad aparece cuando hay baja tolerancia a la frustración, falta de autocontrol e ineficacia en la expresión y solución de su conflicto emocional. Se manifiesta en forma de golpes, insultos y, en casos muy extremos, intentos de eliminación física del rival.

Celos y otros problemas psicológicos

Los celos pueden afectar al niño produciendo un estancamiento o retroceso que repercutirá en su rendimiento y evolución en distintas áreas del desarrollo. De este modo, es habitual la aparición de problemas asociados con el principal motivo de consulta al psicólogo infantil (vea el cuadro 4.1).

CUADRO 4.1

Problemas psicológicos asociados a los celos infantiles

Problema	Manifestación
Encopresis	Pérdida de control de la evacuación de heces a partir de los cuatro años.
Enuresis	Pérdida de control de la evacuación del pipí a partir de los cinco años.
Retraso del habla	Omisión o sustitución de letras, sílabas o palabras (por ejemplo, «cote» por «coche» o «guau» por «perro»).
Retraso del lenguaje	Producciones lingüísticas más pobres que las esperadas para la edad.
Tartamudez	Bloqueo en la emisión de la voz que produce repetición de sílabas.
Alteración o trastornos del sueño	Pesadillas o terrores nocturnos.
Retraso en el aprendizaje escolar	Descenso de la atención, concentración y motivación en el aula.
Quejas somáticas	Dolor de estómago, diarrea, dolor de cabeza, vómitos.
Ansiedad de separación	Miedo desmedido cada vez que la madre, por ejemplo, se ausenta de casa.
Ansiedad excesiva	Preocupación exagerada o sentimiento de autoculpa.
Depresión	Irritabilidad, tristeza, aburrimiento, pesadillas, terrores nocturnos, hipo/hiperfagia, hipo/hiperactividad, distracción y autoagresiones.
Negativismo desafiante	Desobediencia y oposición hostil.

El adolescente celoso

Normalmente con la llegada de la adolescencia es cuando los conflictos, peleas y celos fraternos suelen desaparecer, dando paso a una etapa caracterizada por la amistad y el afecto entre los hermanos.

Sin embargo, en algunos casos los celos traspasan la barrera de la niñez para adentrarse en el complejo e ingrato período de la adolescencia. El mantenimiento del resentimiento conduce a comportamientos que en estas edades se agravan por lo extremadamente llamativo de las conductas que hasta ese momento los padres sobrellevaban, pero que ahora adquieren tintes de amenazas, agresividad e intolerancia.

En los adolescentes, las manifestaciones de los celos pueden llegar a alcanzar tintes dramáticos, en especial por la repercusión que tienen sobre la dinámica familiar. Es una etapa en la que el vínculo con los padres se modifica drásticamente y en algunos casos se rompe. Existe la posibilidad de expresar los celos a través de canales que durante la infancia los padres han controlado. Por ejemplo, amenaza verbal, agresión física, reproches a los padres, demanda de privilegios, fugas del hogar, etc.

La comparación excesiva, en especial en el ámbito académico, o los privilegios o la preferencia hacia uno de los hijos son causa del resurgimiento o acentuación de los celos en la adolescencia. Durante este período la persona se siente vulnerable por cualquier comentario, y los ataques a su autoestima e individualidad son muy dañinos comparados con la etapa infantil. El adolescente busca su identidad, y cualquier hecho que interfiera en esa labor es altamente perjudicial. La adolescencia es como el cambio de piel en las serpientes: mientras se abandona la antigua y surge la nueva el reptil se encuentra molesto e intranquilo.

La adolescencia es el período crucial en el que el sujeto en su paso hacia la edad adulta sigue buscando su propia identidad y, a la vez, su diferenciación respecto a los demás. Ante todo, supone una crisis de crecimiento y de adaptación a una nueva edad. Por tanto, éste es el momento en el que se incrementa la necesidad de ayudar al adolescente a auto-afirmar su personalidad y coger confianza en sus criterios, creencias y opiniones. En caso contrario, crecerá supeditado a la continua comparación con los otros, así como a la apro-bación y refuerzos externos.

RECUERDE

- El nacimiento de un hermano no es la única causa de los celos.
- Distintos comportamientos sirven de indicadores de la presencia de los celos. Las conductas regresivas, la de-sobediencia, la indiferencia, la apatía y el aburrimiento, el retraimiento, las quejas somáticas y la agresividad son sig-nos de celos.
- Otros problemas psicológicos pueden unirse a los celos: pérdida del control del pipí, problemas en el habla, el len-guaje, el aprendizaje escolar, somatización, ansiedad de separación, depresión y negativismo desafiante.

5

¿Cómo puedo ayudar a mi hijo?

Algunas aclaraciones previas

La situación que le vengo describiendo a lo largo de estas páginas se convierte en una pesadilla cuando usted se encuentra sin respuesta a la pregunta: ¿Qué puedo hacer yo para solucionar el problema? Es posible que esta falta de soluciones haga que la situación le desborde hasta el punto de buscar la ayuda desesperada de amigos, familiares, psicólogos o un libro como el presente.

Esta guía para padres tiene como objetivo informar y orientar sobre un problema habitual en la infancia. Sin embargo, puede darse el caso de que aun aplicando todo lo que aquí le voy a sugerir no consiga grandes avances. No se desanime: es el momento de consultar con un psicólogo que le guíe e instruya en la aplicación conjunta de todos estos consejos. Además, siempre se agradece un apoyo en los momentos más difíciles.

Por ello, en primer lugar me gustaría comentarle algunas cuestiones sobre la intervención por parte de un psicólogo. No es extraño que si su hijo es menor de siete años usted colabore muy estrechamente con el especialista como coterapeuta. A partir de los ocho años se involucra activamente al niño en el tratamiento, pero su ayuda todavía es necesaria. Si el problema se trata más allá de los 12 años, dará un protagonismo específico al adolescente, mientras que usted pasará a un activo segundo plano. Por tanto, mi consejo es que desconfíe del psicólogo que no considere el trabajo en común con los padres, pues hará peligrar el éxito de la intervención.

En el caso de asistir a una consulta psicológica, su participación en la terapia es necesaria porque usted tiene la disponibilidad para acceder a situaciones en las que el terapeuta no está presente por darse en el hogar, del mismo modo que el maestro lo es en la intervención en el colegio. Por contra, su subjetividad interferirá con una correcta intervención.

Lo que buscamos es restablecer el equilibrio en la nueva estructura familiar creada por la llegada del nuevo hermano, establecer una sensación de «equipo» manejando conceptos como colaboración, protección, compartir, respeto, individualidad dentro del grupo, etc., beneficiar al niño de su experiencia de celos mediante un aprendizaje positivo que le ayude a evolucionar en su crecimiento emocional.

Uno de los mayores problemas de muchos padres es la falta de recursos para enfrentarse a los celos del niño mayor. Este déficit de soluciones lleva en muchos casos a perpetuar el problema más allá de lo necesario como mera respuesta adaptativa. Abordar inadecuadamente el problema posibilita la consolidación de conductas celosas y el sustento de una relación fraternal basada en una rivalidad permanente y desmesurada.

IMPORTANTE

Evite reprimir la aparición de los celos, e interprételos como una experiencia positiva y necesaria para el desarrollo social, cognitivo y emocional del niño.

Prevenir antes que curar

Si convenimos en que prevenir siempre es mejor que curar, los siguientes consejos pretenden ser una primera línea de choque para minimizar el efecto de los celos.

Por muy bien que esté preparado un niño, siempre reaccionará con algún grado de alteración, pues no es extraño que se sienta desbordado por el nacimiento del hermano y la posterior convivencia. De este modo, se emplearán las siguientes líneas de actuación relacionadas con el período del embarazo, e incluso antes de este momento:

- El espaciamiento ayuda a minimizar el celo, especialmente cuando es al menos de dos o tres años. Con esta medida pueden atenuarse los celos debido a que el niño tendrá un desarrollo cognitivo y emocional suficiente para entender mejor la situación. A la vez, también supone un distanciamiento que le permitirá rivalizar en menor medida con su hermano por juguetes o actividades, dado que los estadios evolutivos son muy diferentes.

- Antes de la llegada del nuevo hermano explique a su hijo aspectos del embarazo, el parto y la llegada a casa del nuevo miembro. Dé estas explicaciones junto a su pareja, especialmente a partir del segundo trimestre de embarazo, procurando que sean veraces y breves para evitar la confusión. Evite indicar si el bebé será niño o niña, a no ser que ya se sepa con certeza, para impedir la frustración.

- Use el pronombre «nuestro, nosotros» para que su hijo se conciencie de que el nuevo hermano es un elemento más de la familia al que se debe cuidar y querer igual que se está haciendo con él.

- Si es posible, visite a amigos que tengan bebés para que su hijo fomente la relación con niños pequeños,

Los diez mandamientos

Mostrará a su hijo lo equivocado que es
compararse con los demas.

Tratará a su hijo atendiendo a su
individualidad.

Le indicará que toda cualidad humana
es relativamente perfecta.

Enseñará al niño a ser realista
con las propias limitaciones.

Hará comprender a su hijo que nadie
es insuperable e imprescindible.

Le educará a querer el bien para
la persona amada.

No fomentará la envidia y el
resentimiento.

Evitará que su hijo pierda la ingenuidad,
la alegría y la confianza.

Modificará las actitudes del niño
respecto a ustedes y el hermano.

Si fuera necesario, cambiará sus propias
normas y costumbres educativas.

ayudándole a aceptarlos; además eso le servirá para familiarizarse con los inevitables comentarios cariñosos de los adultos hacia el bebé.

- Juegue con él a escuchar el latido del bebé o las pataditas en la barriga de la madre. Aproveche este momento para hablarle sobre su hermano y sobre las cosas que podrán hacer juntos (jugar, ver la televisión, ir a la playa, etc.).
- Léale libros sobre la llegada del nuevo hermano, así le ayudará a que exprese las dudas y preocupaciones que surjan a través de la lectura, además de explicarle y responderle a sus preguntas de forma gráfica mediante los dibujos que las publicaciones incluyen para ilustrar el texto.
- Anticipe con mucho tiempo el cambio de habitación para evitar que el niño asocie dicho cambio con la llegada del bebé y se sienta por ello desplazado o desposeído de su dormitorio.
- Procure mantener las pequeñas rutinas y hábitos diarios del niño (horario de dormir, aseo y comida).

IMPORTANTE

No adopté una actitud temerosa ante los celos: recuerde que son un medio de crecimiento y maduración.

¡El rey ha muerto! ¡Viva el rey!

Durante el período postparto hospitalario, se pueden realizar una serie de acciones encaminadas a introducir al nuevo miembro en el ambiente familiar. A partir de este momento la presencia del bebé convertirá en realidad algunas de las sospechas del hermano. En este momento el personal sanitario, en especial el de enfermería, desempeña un papel importante en la orientación a los padres sobre cómo abordar esta situación, pues son los primeros profesionales con los que la pareja cuenta tras el parto.

Algunos de los consejos a tener en cuenta respecto al período de estancia hospitalaria, así como al regreso a casa, se exponen en los siguientes puntos:

- Es conveniente que su hijo vaya al hospital a conocer a su hermano. Si por las circunstancias que sea es imposible, establezca una comunicación a través de llamadas telefónicas tanto de la madre como del niño o correspondencia que incluya dibujos referentes al nuevo hermano. Así evitará que el niño se preocupe en exceso por la salud de su madre.
- Regale a su hijo un juguete con una tarjeta que indique que el presente es de su nuevo hermano.
- Cuando el niño vea al bebé por primera vez, le aconsejo que éste no esté en brazos de la madre. Permítale que lo acaricie y que ambos estén junto a la madre.

A partir de ahora será más importante la calidad que la cantidad de tiempo que pase con su hijo mayor. Aprovéchelo bien escuchándole y satisfaciéndole en sus necesidades emocionales. Busque momentos en los que sepa que nadie les va a interrumpir para que la relación sea productiva, sin enfados e irritaciones.

IMPORTANTE

Ante la llegada del bebé, no asuma
que el niño solo mostrará conductas negativas;
también manifestará conductas positivas
que usted fomentará y reforzará.

Del mismo modo, debe involucrarse en la relación de los hermanos. Hay que dedicar tiempo y paciencia a estar con ambos y enseñarles a convivir, especialmente en actividades lúdicas, en las que aprendan a compartir, esperar su turno, etcétera.

Veinticuatro horas al día, siete días a la semana

Tras la vuelta a casa, a los padres aún les queda el día a día, la vida cotidiana. Si su hijo ha experimentado el nacimiento del hermano casi como una fiesta, ahora surgirán las situaciones más conflictivas debido a que desde ese momento empieza la convivencia.

Atienda a las situaciones en las que su hijo manifiesta conductas de cooperación, afecto, cuidado, etc. Es el momento ideal para deshacerse en elogios, abrazos, caricias; en definitiva, el mejor momento para que comprenda que usted está contento de verle junto a su hermano. Estas muestras de satisfacción debe realizarlas justo inmediatamente después de que el niño desarrolle las conductas antes mencionadas.

Haga caso omiso de los comportamientos inadecuados provocados por los celos. Pero ha de saber que cuando el niño advierta su indiferencia, incrementará la intensidad y frecuencia de sus quejas, rabietas o rebeldía intentando poner a prueba su resistencia para que ceda a sus peticiones. Es el momento de ser fuerte y esperar que poco a poco vaya cediendo en su actitud.

Bien aplicado, el castigo es otra carta con la que usted puede jugar. Es posible que en situaciones de agresividad necesite emplear algún procedimiento punitivo, pero evite el castigo físico. Lo ideal es que tenga pensado de antemano un ramillete de sanciones (por ejemplo, aislamiento en su cuarto durante un tiempo, no ver el programa favorito de televisión, etc.) y alterne su aplicación para evitar que el niño acabe habituándose al mismo castigo. No olvide explicar por qué le castiga, además de señalar qué debe hacer para actuar correctamente, y refuerce la conducta adecuada en el mismo momento en que se produzca.

Aproveche el juego para cultivar la relación entre los hermanos. Es bueno involucrar a los hijos en actividades lúdicas que supongan interacción en el sentido de cooperación, respeto y tolerancia. Es obvio que estos juegos estarán dirigidos y vigilados por los padres de modo que se resuelva cualquier tipo de fricción con eficacia y prontitud. Por tanto, la finalidad del juego es enseñar a los hijos a ejercitar habilidades y a resolver conflictos que suelen surgir en la relación fraterna. La lista de juegos es larga y variada, y puede ir desde juegos de mesa hasta aquellos que se practican al aire libre. Baste resaltar aquellos cuya característica principal sea adoptar e intercambiar diferentes papeles, jugar en equipo o guardar el turno.

Evite comparar continuamente a los hermanos entre sí. Rara vez la comparación entre hermanos sirve para estimular la superación; antes al contrario, casi siempre sirve para aumentar la rivalidad entre ellos, provocando el celo si usted inferioriza a uno mediante las cualidades y éxitos del otro.

Enfatice las ventajas de ser mayor. Muéstrele a su hijo la cantidad y variedad de experiencias que la edad ofrece con relación al pequeño. Éste es un modo saludable de diferenciar a los hermanos, pues fortalece la individualidad y aleja la innecesaria comparación que se establece con el hermano menor.

De casa al colegio

Como ya le he comentado, también debe contar con el maestro. Cuéntele su problema y pregúntele si ha observado algún cambio significativo en el rendimiento o comportamiento de su hijo. Son muchas las horas que el maestro pasa junto a su hijo, y esto le hace indispensable en el tratamiento de los celos.

El maestro puede programar actividades que tengan como hilo conductor tolerar la frustración y fomentar el respeto a través de juegos en los que los niños tengan que compartir pero no de modo competitivo y ensayar las conductas de cooperación y responsabilidad.

Sin embargo, y debido a que en el colegio lo que más se observa es la envidia, conviene trabajar la autoestima del niño de forma que le permita valorar positivamente sus cualidades sin necesidad de compararse continuamente en un plano de inferioridad con otros niños.

IMPORTANTE

No realizar comparaciones en clase entre
los alumnos.
Fomentar la idea de que no hay mejores ni peores,
sino personas distintas.
Inculcar la competitividad con uno mismo y no con los otros.

El aula también es un lugar idóneo para que el niño aprenda conductas sociales adecuadas, para lo cual en primer lugar se observará cómo se comporta el niño de forma espontánea, posteriormente se le enseñará cómo tiene que actuar, para a continuación ensayar la conducta correcta y reforzarla o corregirla según lo bien que lo haya hecho (vea el cuadro 5.1).

CUADRO 5.1

Ejercicios para enseñar a su hijo a relacionarse con los demás

Conducta	¿Qué pasa?	¿Qué hacer?	Ejemplo
Quejarse	Su hijo presta su cómic favorito a un amigo y a la semana se lo devuelve con las páginas manchadas de aceite.	Expresará disconformidad, le dará la oportunidad a su amigo para explicarse y le hará saber que está disconforme con su comportamiento.	«Mira, el cómic está manchado, y no estaba así cuando te lo dejé; ¿qué ha pasado?».
Empatía	Un compañero le dice a su hijo que está enfadado porque el profesor le ha castigado a quedarse después de clase.	Su hijo se interesará por lo que cuenta el compañero, haciéndole saber que comparte su sentimiento, y que éste es sincero.	Compañero: «Jolín, don Antonio me ha castigado por no terminar las fichas de conocimiento». Niño: «¡Cómo lo siento! ¡Qué fastidio!».
Interacción de grupo	Unos compañeros planean formar dos equipos para jugar el próximo fin de semana un partido de fútbol en el colegio.	Enséñale a proporcionar información útil, aportar buenas sugerencias y mantener la conversación.	Niño (al compañero): «Vale, yo me hago un equipo y si falta alguien se lo digo a mi hermano y a mi primo, que son de los mayores».
Resolución de un conflicto	Un compañero acusa a su hijo de hacer trampas jugando a las canicas.	Pensar antes de actuar, conversar con la otra persona, llegar a acuerdos y hacer lo que se ha acordado.	«Yo no he hecho nada; la próxima mírame cuando lanzo y verás que no hago trampas. Si me coges haciendo trampas, ganas tú, ¿vale?».

Peleas, enfados y provocaciones

Cuando la agresividad hace su aparición estelar, es el momento de tomarse las cosas con calma, pero muy seriamente. Ante todo inculque al niño que la conducta agresiva es incorrecta. Debe enseñarle las consecuencias negativas de su comportamiento para él y para los que le rodean. Conviene que entienda que con la violencia no se resuelven los problemas y que, por el contrario, puede generar otros. Además, la gente le temerá pero no le querrá.

Cuando se den episodios de agresividad, es importante que centre la atención en el hijo agredido y no en el agresor, pues reforzará esta conducta y además le ayudará a darse cuenta de que la agresividad no sólo no le reporta su atención sino que, por el contrario, sólo consigue su indiferencia.

Procure no mostrarse agresivo a la hora de la reprimenda. En la medida de lo posible, mantenga la calma y actúe manteniendo un control total de la situación. Con su actuación mostrará a su hijo cómo se resuelven situaciones conflictivas sin el empleo de la fuerza.

Enseñe a su hijo a pedir disculpas a su hermano, pero evite en lo posible que se sienta humillado. Incluso si en el incidente de agresividad se ha producido la rotura de algún juguete u otro objeto, es conveniente que el niño contribuya a su reposición. En definitiva, se trata de que vea las consecuencias negativas de su acción y no asuma la idea de que con la agresividad se llega a todas partes.

Practique con su hijo sencillos ejercicios de respiración profunda e imaginación guiada, para lo cual utilice las frases que aparecen en el cuadro 5.2. Como consejo general se realizará una primera fase de entrenamiento dos veces diarias durante 15 días. A continuación, sólo se utilizarán en situaciones en las que el niño se encuentre alterado.

Es más idóneo utilizar el método denominado «robot-muñeco de trapo» para inducir la relajación en niños me-

Instrucciones para aplicar la respiración profunda

Ejercicio de respiración profunda
Ahora escucha tu respiración... Respira tres veces profundamente... Una, coge aire por la nariz... Aguántalo... Expulsa el aire por la boca, dos... tres... A partir de ahora respira como siempre, pero tomando el aire con la nariz y expulsándolo por la boca... Cada vez que expulses el aire piensa en la palabra relax.
Ejercicio de imaginación
Imagina una escena agradable y tranquila para ti. Por ejemplo, imagina que estás tumbado en la playa tú solo, escuchando el sonido de las olas. Quédate así unos minutos. Relajado.

nores de siete u ocho años. Éste consiste en actuar primero como un robot (rígido, tenso y andando sin doblar las extremidades) y después en hacerlo como un muñeco de trapo (flexible, relajado y flácido). El grado de relajación se evalúa levantando el brazo del niño y dejándolo caer.

IMPORTANTE

No use el castigo físico: sólo contribuiría
a mantener la conducta agresiva.

Estaría bien quererse un poco más

La creencia de que los padres han dejado de quererle en favor del hermano daña la autoestima del niño. Es importante que ayude a su hijo desde el principio a formarse una buena imagen de sí mismo: es como un edificio que hay que cimentar con solidez.

- Hágale notar con gestos y palabras lo buena que resulta su compañía.

- Elógiele de manera correcta. Equilibre la balanza de premios y castigos mediante el refuerzo de conductas de afianzamiento personal que permitan al niño sentirse orgullo de su actuación.

- Hágale ver en qué momento su comportamiento tiene un efecto positivo sobre los demás.

- Comparta sus sentimientos, intereses, aficiones, actividades y experiencias familiares con el niño.

- Dedique tiempo a escucharle.

- Anime al niño a expresar sus propias ideas, diferenciándolas de las de usted.

- Indíquele qué tiene de especial y diferente. Debe saber qué cualidades posee y potenciarlas por sí mismo mediante la inclusión en actividades que permitan su desarrollo.

- Dele la oportunidad de que se exprese con creatividad. La originalidad es sinónimo de singularidad.

- Utilice el halago en privado y evite el elogio público desmesurado.

- Ayude al niño a tomar decisiones y resolver problemas.

- Organice actividades en las que tenga más oportunidades de obtener éxito. Permítale demostrar su capacidad en aquello que haga bien.

- Enséñele a respetar y hacerse respetar. Utilice frases como *«te dije que si no me dejabas tranquilo no te dejaría los resultados de matemáticas. Así que otra vez será»* o *«no tengo por qué hacer todo lo que tú quieras»,* ambas referidas a un compañero de clase.

- Ayúdele a entender la importancia de los valores y creencias, para lo cual debe compartir las suyas con el niño.

- Ayúdele a establecer objetivos o metas razonables y alcanzables. Los objetivos y metas irreales sólo llevan a la frustración, el desánimo y la falta de creencia en uno mismo. Para ayudar a conseguirlo es adecuado enseñar al niño a dividir los objetivos en metas menores pero que le sirvan para obtener la meta final.

- Intente que responda de sus actos. Aprender a aceptar la equivocación y rectificar contribuirá a la resolución futura de problemas y a una toma de decisiones más segura.

- Inculque el afán de superación personal sin compararse con otros.

PROHIBIDO

- Ridiculizarlo delante de otras personas, en especial niños. Pocas cosas son peores para la autoestima que verse avergonzado ante los amigos, a pesar de que algunos padres consideran que es un buen camino para «endurecer» a los hijos.

- Rechazar sus pensamientos y conductas sin comunicarle el motivo por el que se hace.

RECUERDE

- La intervención con niños tiene sus connotaciones, entre las que destaca que el grado de implicación del niño en la terapia depende de la edad. De este modo, el papel de los padres como coterapeutas adquiere una importancia crucial.

- En concreto, la intervención con niños celosos supone abordar distintas áreas, como son las habilidades sociales o la autoestima. Estos aspectos tienen gran importancia en cuanto permiten que el niño logre seguridad en sí mismo y en el trato con los demás, obteniendo una mayor individualidad y grado de independencia.

Convivir con un hermano enfermo

No quisiera terminar este libro sin referirme brevemente a aquellos niños que conviven con un hermano que padece enfermedad crónica (diabetes, asma o parálisis cerebral) o deficiencia física irreversible (cojera, ceguera o audiomudez) o retraso mental (síndrome de Down), situación que al menos abarca un largo período de la infancia, pues asumen papeles y responsabilidades que no tienen aquellos con hermanos sanos.

Ésta es una situación especial dentro de la relación fraterna, pues no en vano la condición física o mental obliga a diversas matizaciones. Si en niños normales se alientan conductas de cooperación y protección, en el caso de un niño con dificultades éstas aún son más evidentes, no sólo porque se solicite su colaboración, generosidad, etc., sino porque observa e imita un cuidado y una preocupación especial de los padres hacia su hermano, no estando capacitado para entender el porqué de estas conductas.

Sin embargo, la enfermedad provoca tanto reacciones positivas como negativas en el hermano sano. Entre las primeras destacan el fortalecimiento de las relaciones familiares, el logro de una mayor independencia y sentir satisfacción por la mejoría de la enfermedad. En contra, aparecen el estado de preocupación por el hermano, el sentimiento de celos por la atención que recibe y el malestar producido por el impedimento o restricciones a la hora de ir a fiestas de cumpleaños o salir con amigos.

Las familias con un niño enfermo a menudo son más propensas al retraimiento y aislamiento, alterando su dinámica interna a causa de la ansiedad y preocupación de los padres. En este contexto se incrementan la rivalidad y la hostilidad fraterna por la aparición del miedo y el sentimiento de culpa en el hermano sano.

Evidentemente en estos casos es inevitable dedicar un tiempo extra al cuidado del niño debido a su enfermedad. Así, el niño enfermo requiere una atención diaria en cuanto a la toma de medicamentos, intervenciones especiales (por ejemplo, curas o ejercicios de rehabilitación) y en muchos casos períodos repetidos de hospitalización más o menos largos.

Si usted se encuentra en estas circunstancias le recomiendo que siga los siguientes consejos:

- Facilítele a su hijo sano contestaciones honestas sobre la enfermedad y adaptadas a su nivel. La falta de sinceridad es perjudicial, pues tarde o temprano tendrá que afrontar y convivir con la enfermedad o condición física de su hermano. En estos casos es necesario dar una explicación con ejemplos adecuados, así como preocuparse de escuchar y contestar a las inquietudes y preguntas que pueda sugerir sobre la enfermedad. Recuerde que la mente del niño es muy activa y es ilimitada a la hora de imaginar cosas inexistentes. Una explicación adecuada permite ajustar esas fantasías a la realidad que se está produciendo en su entorno.

- En caso de hospitalización, la honradez se debe iniciar y mantener antes, durante y tras la estancia hospitalaria. La hospitalización implica un cambio en la rutina diaria del niño, que se queda en casa debido a la normal transformación que la actividad familiar sufre a raíz de la hospitalización. En muchos casos, los niños se trasladan a casa de los abuelos o son atendidos más tiempo por personas no habituales, como tíos o amigos de los padres.

- Si es necesaria la hospitalización urgente, comuníqueselo tan pronto como sea posible. Las situaciones de emergencia médica requieren un tratamiento especial por su falta de planificación y anticipación que lleva al hermano mayor a verse desbordado, no comprendiendo qué sucede a su alrededor.
- Si es posible, permita que el niño recorra el hospital con su hermano enfermo. Es inoportuno apartar al niño de la realidad que está viviendo el enfermo.
- Trate de representar la experiencia hospitalaria con dibujos o muñecos. Estos últimos son un buen medio para que el niño exprese sus sentimientos y preocupaciones, así como para imitar con más sencillez conductas de cooperación, altruismo e igualdad.
- Léale historias o coloree dibujos de libros con contenido médico. Incluso estaría bien que colaborara con el niño para crear su propia historia sobre el hospital o realizar dibujos sobre la experiencia que está viviendo.
- Fomente la visita al hermano enfermo. En aquellos centros hospitalarios cuyas normas permitan las visitas es conveniente animar al niño a pasar un tiempo con el hermano hospitalizado. Estas visitas potencian la relación entre ambos mediante el juego y la conversación; igualmente el mayor también puede llevar algún regalo a su hermano.

Es importante que intente pasar el mayor tiempo posible con su hijo y que comprenda la situación de su hermano. Procure mantener el contacto entre los hermanos mediante las siguientes actuaciones:

- Escribir una carta en la que el niño hable sobre actividades escolares, aficiones, asuntos de casa, etc. Esto permite un contacto del niño enfermo con su hermano y con el ambiente escolar y familiar visto desde la perspectiva de otro niño.
- Grabar mensajes en una cinta de casete con el mismo contenido y finalidad que la carta, aunque en este caso el mensaje será más emotivo al contar con la voz del hermano mayor. Aquí se pueden incluir actividades como contar chistes o imitar a algún personaje famoso que inciten la sonrisa del niño pequeño.
- Llamar por teléfono al hermano hospitalizado y viceversa. Esto es lo más aconsejable cuando no se le puede visitar, ya que fomenta un contacto directo e inmediato.
- Iniciar alguna actividad de ocio que se pueda realizar en la distancia. Por ejemplo, enviar cada día varias piezas nuevas de un puzzle o de una construcción que una vez finalizada puede transportarse a casa. Esto dará sensación de complicidad en una tarea, es decir, cooperación para conseguir un objetivo final. Estas actividades permitirán al hermano sano involucrarse en el cuidado emocional de su hermano enfermo y, a su vez, constituirán un medio de comprensión de la situación en general y de la de los padres.

RECUERDE

- Los niños con un hermano que padece una enfermedad crónica, deficiencia física o retraso mental generan conductas de cooperación y protección con más facilidad que otros.
- Sea honesto con el hermano sano y hágale partícipe del cuidado del enfermo.

7

Conclusiones

Los celos son una respuesta evolutiva normal al hecho de compartir la afectividad de los padres, especialmente de la madre, con una tercera persona. Debe abordar la aparición de los celos como un hecho saludable, dado que el niño celoso es un niño normal.

Existe una dinámica evolutiva en la relación entre hermanos que usted debe conocer para discriminar comportamientos futuros y adecuados en la convivencia. Entre los principales denominadores de esta relación se encuentran el compañerismo, la cooperación, el interés por el otro y la rivalidad. Siempre que los hermanos se muevan dentro de estos parámetros, mantendrán una relación apropiada por cuanto transcurre dentro del cauce normal del crecimiento.

Otra cuestión bien distinta es cuando esta respuesta se convierte en inadaptativa y permanente. A partir de ese momento, los celos deben entenderse como un problema que transfiere lo meramente evolutivo para convertirse en patológico. La inapropiada resolución del conflicto puede conducir al desarrollo de patologías más elaboradas e interferir en el comportamiento diario del niño. Así, hemos visto cómo los celos son una de las causas de la enuresis, del retraso del lenguaje o de trastornos asociados con el aprendizaje escolar.

De todos modos, conviene tener presente que la relación fraterna evoluciona a través de varios períodos en los que en mayor o menor medida aparecen conductas de fricción y rivalidad que no deben confundirse necesariamente con los celos. Sin embargo, es importante saber actuar en estos casos para evitar consecuencias futuras negativas en dicha relación. De igual manera, los niños menores de tres años tienen problemas en abandonar una postura egocéntrica que les dificulta llevar a cabo conductas de cooperación, reparto y protección.

Usted no es el único que tiene que enfrentarse a los celos infantiles. Con los datos con los que se cuenta hoy en día se puede decir que el noventa por ciento de los niños muestran algún grado de celo ante el nacimiento de un hermano.

Si bien tenemos suficiente conocimiento respecto a los celos evolutivos, no sucede lo mismo cuando adquieren carácter malsano. A modo de propuesta le he indicado que para detectar estos celos dañinos debe atender a criterios de edad, cronicidad, interferencia en la actividad cotidiana, gravedad de los síntomas, presencia de otros trastornos psicológicos y funcionamiento familiar deficitario.

El tratamiento de los celos se orienta tanto a la prevención como a la cura, e incluye dos directrices: la que tiene por objeto enseñarle a manejar los celos evolutivos para prevenir la aparición de la celotipia y la que interviene con el fin de tratarlos cuando adquieren el carácter malsano. En ambos casos, si está sin respuestas, acuda a un psicólogo para que le oriente y colabore estrechamente con usted en la búsqueda de soluciones.

Durante el tiempo que usted dedique al niño primará tanto la cantidad como la calidad. Ante la falta de tiempo, se maximizará el carácter cualitativo de los encuentros, evitará las continuas interrupciones y procurará atender a las necesidades emocionales del niño. Del mismo modo, procurará que las interacciones se produzcan con una predisposición positiva por su parte, lo que permitirá compartir un rato agradable y productivo, aunque éste sea corto.

La intervención debe encaminarse a distintos momentos y respuestas asociadas con los celos. Respecto a los momentos, señalar que, si es posible, la intervención se iniciará durante el embarazo o incluso antes, a la hora de planificar el espaciamiento de los hijos. Además, se tiene que atender al período posterior al nacimiento del bebé, así como al regreso de la madre a casa. El momento crucial es el tiempo de convivencia cotidiana en el que el niño reside con el hermano y sus propios celos; aquí la intervención se dirigirá a enseñarle a resolver el conflicto y salir fortalecido de esta experiencia. Por otro lado, asociadas a los celos surgen manifestaciones de descenso de la autoestima que requieren una atención especial abordando las condiciones de vinculación, singularidad, poder y pautas que fundamentan la autovaloración.

Anexos

Anexo 1

Cuestionario de celos infantiles (DelGiudice, 1986)

Nombre del niño/a: _____

Fecha de nacimiento del niño/a: _____

Sexo del niño/a: _____

Fecha de nacimiento del hermano/a: _____

Sexo del hermano: _____

Por favor, indique la frecuencia con la que su hijo muestra las siguientes conductas señalándolo en el cuadrado apropiado:

	Siempre	Frecuentemente	Algunas veces	Raramente	Nunca
1. Vuelve a conductas que él/ella ha superado	☐	☐	☐	☐	☐
2. Tiene rabietas de mal genio	☐	☐	☐	☐	☐
3. Interactúa físicamente con el niño de un modo áspero	☐	☐	☐	☐	☐

4. Coge juguetes u objetos del hermano para hacerlos suyos ☐ ☐ ☐ ☐ ☐

5. Dice que no le gusta su hermano o desea que no hubiese nacido ☐ ☐ ☐ ☐ ☐

6. Tiene pesadillas ☐ ☐ ☐ ☐ ☐

7. Tiene problemas de sueño (rehúsa ir a la cama, se despierta frecuentemente, teme quedarse solo, etc.) ☐ ☐ ☐ ☐ ☐

8. Interactúa físicamente con usted de modo áspero ☐ ☐ ☐ ☐ ☐

¿Cómo describiría con sus propias palabras la reacción de su hijo ante su nuevo hermano? _____

_____

_____

¿Qué hizo para preparar a su hijo para el nacimiento de su hermano/a? _____

_____

_____

Anexo 2

Cuestionario para el diagnóstico de los celos (Polaino-Lorente, 1991)

Nombre del niño: _____

Fecha de aplicación: _____ Edad: _____

Número hermanos: _____

Edad hermano/s: _____

A continuación encontrará un grupo de afirmaciones acerca de su hijo/a. Señale con una X la opción que mejor le describa.

	Nunca 0	Casi nunca 1	Rara vez 2	A veces 3	Siempre 4
Comportamiento con los hermanos más pequeños					
1. Se niega a conocer o tratar con su nuevo hermano.					
2. Le cuesta aceptar a sus hermanos más pequeños, a los que trata con indiferencia o excesiva atención, según las circunstancias.					
3. Manifiesta abiertamente que siente celos de sus hermanos más pequeños.					

	Nunca 0	Casi nunca 1	Rara vez 2	A veces 3	Siempre 4
Interacción con los iguales					
1. Desprecia, descalifica o se burla de otros niños menores que él, sin que haya ninguna razón o justificación para ello.					
2. Ataca agresiva y desproporcionadamente a sus compañeros de menor edad.					
3. Ha destruido algunas veces juguetes u objetos de uso personal de aquellos respecto de los cuales se manifiesta más suspicaz y susceptible.					
4. Manifiesta que siente celos u odio hacia sus compañeros de igual edad.					
5. Le cuesta compartir sus juguetes y objetos personales con sus hermanos y compañeros.					
6. Establece comparaciones con los que le rodean, aunque sean inoportunas y a destiempo.					
7. Sus compañeros no le han observado alabar a otros amigos.					
Interacción con sus padres					
1. Cuando se le aconseja que no sea celoso o que no se comporte así, se marcha de la habitación o arranca a llorar.					
2. Cuando observa alguna atención de sus padres a otros hermanos, responde dejando de hablar, aislándose o marchándose de casa.					
3. Reclama únicamente para sí la atención de su madre y/o la de otras personas adultas.					
4. Reacciona con irritabilidad si en su presencia se alaba a otros niños de su misma edad.					
5. Reclama para sí los mismos gestos de aprobación y caricias que sus hermanos reciben de sus padres y familiares.					
6. Se queja de que su hermano sea tratado como un «triunfador», como el «rey de la casa», a pesar de que para él sea un «rival» o «intruso».					

	Nunca 0	Casi nunca 1	Rara vez 2	A veces 3	Siempre 4
Comportamiento en el hogar					
1. Procura llamar la atención o hacerse notar a través de comportamientos extraños, travesuras y vestidos inusuales.					
2. Se entristece cuando en su presencia se alaba o premia a otro hermano.					
3. Exige de inmediato que hagan lo mismo con él, que le regalen el mismo objeto que a su hermano o que le hagan el mismo mimo.					
4. Le cuesta reconocer las características positivas que tienen sus hermanos.					
5. Se compara con sus hermanos respecto del afecto que recibe de sus padres.					
6. Ha reprochado a sus padres por recibir menos afecto que sus hermanos.					
7. Ha sido sorprendido en pequeños hurtos y haciendo «novillos».					
Comportamiento en la escuela					
1. Tiene tendencia a hablar mal de las personas que apenas conoce.					
2. Manifiesta suspicacia y rivalidad a través de una excesiva e inadecuada conducta de emulación muy competitiva.					
3. Tiene pocos amigos.					
4. Está solo durante los recreos.					
5. Sus compañeros lo han calificado alguna vez de «envidioso».					
6. Se entretiene con fantasías vengativas en las que representa alternativamente el papel de sus compañeros rivales.					
7. Trata de establecer algún tipo de alianza con los profesores para difamar o descalificar a sus compañeros.					
8. Sus compañeros le han calificado alguna vez con el término «acusica».					
9. En las confrontaciones leales procura más la humillación de sus compañeros que el triunfo personal.					

	Nunca 0	Casi nunca 1	Rara vez 2	A veces 3	Siempre 4
Comportamiento en la escuela _(continuación)_					
10. Trata de ganarse el favor y el afecto de sus profesores mostrando una excesiva solicitud en aquello que le encargan o identificándose con sus gustos u opiniones.					
11. Su rendimiento escolar ha disminuido de forma significativa desde que nació su hermano.					
12. Incumple de forma obstinada las reglas del colegio.					
Trastornos psicosomáticos					
1. A raíz del nacimiento de su hermano comenzó a hacerse pis.					
2. Se despierta con pesadillas soñando que sus padres le han abandonado.					
3. Se queja de mareos y dolores de cabeza.					
4. Cuando tiene un problema se niega a comer o vomita.					

Anexo 3

Inventario de Relación entre Hermanos de Stocker y McHale (1992)

Sibling Relationship Inventory (SRI)

Nombre del niño: _____

Fecha de aplicación: _____ Edad: _____

Número hermanos: _____

Edad hermano/s: _____

Elige un número para cada pregunta que se formula en el cuadro siguiente según la escala que se te indica a continuación:

0 = Nunca, 1 = Alguna vez, 2 = A menudo,
3 = Muchas veces, 4 = Muchísimas veces

	0	1	2	3	4
1. ¿Cuántas veces te preocupas o cuidas de tu hermano/a cuando tus padres no están presentes?					
2. Los hermanos/as algunas veces se causan problemas o inician peleas o discuten entre sí, incluso aunque se quieran mucho. ¿Cuántas veces dirías que tú empiezas peleas o le causas problemas a tu hermano/a?					
3. ¿Cuántas veces te enojas o enfadas con tu hermano/a?					
4. Algunos niños comparten secretos con sus hermanos/as, mientras que otros no lo hacen. ¿Cuántas veces compartes secretos con tu hermano/a?					
5. Los niños algunas veces hacen daño a su hermano/a empujándole, pinchándole o golpeándole. ¿Cuántas veces le haces tú este tipo de cosas a tu hermano/a?					
6. Algunas veces algunos niños son malos con sus hermanos/as, incluso aunque realmente se preocupen de ellos. ¿Cuántas veces dirías tú que haces cosas como fastidiarle, importunarle o llamarle por su nombre?					
7. ¿Qué me dices de hacer cosas agradables como ayudar o hacer favores a tu hermano/a? ¿Cuántas veces haces tú este tipo de cosas?					
8. Los niños algunas veces entran en la habitación de su hermano/a y cogen sus cosas sin permiso. ¿Cuántas veces dirías tú que haces estas cosas?					
9. ¿Cuántas veces le enseñas cosas a tu hermano/a o le ayudas a resolver alguna cosa?					
10. Muchos niños son cariñosos con sus hermanos/as, incluso aunque otras veces se peleen. ¿Cuántas veces eres afectivo con tu hermano (abrazarle, besarle, cogerle de la mano)?					

	0	1	2	3	4
11. Muchos niños se quejan de que sus madres no son justas acerca de cómo les tratan comparado con cómo tratan a sus hermanos o hermanas. ¿Qué sucede contigo? ¿Cuántas veces sientes que tu madre trata mejor a tu hermano/a que a ti?					
12. ¿Qué me dices de tu padre? ¿Cuántas veces crees que trata mejor a tu hermano/a que a ti?					
13. ¿Cuánto admiras a tu hermano/a, es decir, crees que él/ella es especial o fantástico?					
14. Algunas veces a los niños les gusta compartir cosas y otras veces no. ¿Cuántas veces compartes tus cosas con tu hermano/a cuando él quiere jugar con ellas o las coge prestadas?					
15. ¿Qué sucede si tu hermano/a tiene dolor o está enfermo? ¿Cuántas veces intentas que se sienta mejor?					
16. Algunos niños sienten celos o malestar acerca de la atención o afecto que sus padres dan a su hermano/a. ¿Cuántas veces sientes una especie de celos acerca de cómo tus padres tratan a tu hermano/a?					
17. ¿Qué sucede con tu madre? ¿Cuántas veces sientes una especie de celos acerca de la atención y afecto de tu madre hacia tu hermano/a?					

Lecturas recomendadas

¿Dónde encontrar más información?

Entre las siguientes referencias encontrará desde libros de divulgación hasta otros fundamentados en los resultados de estudios científicos realizados con grupos de madres e hijos.

Arranz, E. (1989). *Psicología de las relaciones fraternas*. Herder.

En este libro encontrará información sobre la influencia del lugar que ocupa cada niño dentro de la fratría, así como sobre la identidad y diferenciación de los hermanos y cómo han de intervenir los padres y educadores para encauzar las relaciones entre hermanos.

Clemens, H. y Bean, R. (1993). *Cómo desarrollar la autoestima en los niños*. Debate.

Interesante guía que de modo directo y claro le explica en qué consiste la autoestima, junto a una amplia y estructurada batería de actuaciones que usted puede realizar para ayudar a su hijo a valorarse, así como a afrontar situaciones de relación con amigos y compañeros de clase.

Díaz-Aguado, M. J. (1997). *La envidia*. Aguilar.

Ameno texto divulgativo que trata de forma clara sobre la envidia. La autora dedica un capítulo a hablar de los celos en la infancia y la adolescencia, y también aborda las relaciones familiares y fraternas centrándose en la importancia de la educación. Además, habla de las relaciones con profesores y compañeros, estas últimas muy importantes en la formación de la personalidad del niño.

Dunn, J. (1986). *Relaciones entre hermanos*. Morata.

Aquí encontrará respuesta a cómo evolucionan las relaciones entre hermanos. Aporta soluciones a los padres y amplía información comprensiva a fin de que entiendan cómo y por qué sus hijos interactúan de ese modo. Es un libro interesante para quienes quieran conocer la evolución normal de la relación fraterna.

Dunn, J. y Kendrick, C. (1986). *Hermanos y hermanas*. Alianza.

En el tema de los celos, los trabajos de Judy Dunn y su equipo son referencia obligada. Esta obra destaca porque trata directamente el problema de los celos basándose en sus investigaciones. En el libro encontrará una aproximación seria a los celos infantiles y la relación fraterna en la infancia, a través de temas como el cambio en la comunicación madre-hijo, las diferencias individuales en la relación entre hermanos, los sentimientos ambivalentes y otros aspectos de interés.

Faber, A. y Mazlish, E. (2001). *¡Jo, siempre él!* Alfaguara.

Dentro de la colección «A mí me funcionó» encontramos este libro, que de un modo práctico y divertido le aportará estrategias para solucionar los celos infantiles. Acompañado de numerosas ilustraciones en forma de historietas e ingeniosos diálogos, le permitirá informarse de cómo puede ayudarse a sí mismo y a su hijo.

Larroy, C. y De la Puente, M. L. (1995). *El niño desobediente*. Pirámide.

Con este libro aprenderá cómo solucionar problemas cotidianos de desobediencia, que como hemos visto es habitual que aparezcan dentro del problema de los celos y que tan nerviosos ponen a los padres.

Pearce, J. (1995). *Parientes y amigos*. Paidós.

— *Berrinches, enfados y pataletas*. Paidós.
— *Peleas y provocaciones*. Paidós.

Dentro de la serie «Dr. John Pearce» encontrará este conjunto de títulos, que, en formato de guía para padres, aporta soluciones a la agresividad, los enfados y las relaciones con otras personas.

Polaino-Lorente, A. (1991). *Hijos celosos*. CEAC.

Se trata de una interesante monografía que profundiza en la problemática de los celos infantiles abordando distintos aspectos relacionados con el tema desde la definición hasta el tratamiento pasando por el diagnóstico, la evaluación, etc. Es el libro que más espacio dedica a la situación de celos fraternales de los aquí reseñados. Reserva dos capítulos a desarrollar distintos aspectos de la intervención terapéutica, paternal y educativa de los celos.